maîtriser
la modélisation
conceptuelle

CHEZ LE MÊME ÉDITEUR

 Peat Marwick

Méthodes Informatiques et Pratique des Systèmes
Collection coordonnée par A. CHAMPENOIS

maîtriser la modélisation conceptuelle

Remi PLANCHE

Ingénieur de l'École Polytechnique
M. Sc. en Recherche opérationnelle

Préface de J.-L. PEAUCELLE

MASSON
Paris Milan Barcelone Mexico
1988

Préface

L'activité de modélisation est sans doute aussi ancienne que l'homme lui-même. Modéliser c'est se représenter une chose, le modèle n'est pas la chose mais un résumé de ses propriétés principales. Le modèle est un guide pour l'action, il permet d'anticiper sur les résultats des choix possibles.

La représentation mentale, le souvenir, la description dans le discours, la règle empirique ou la loi scientifique, la maquette et le prototype, le plan et les spécifications techniques, tout cela relève de l'activité de modélisation. Modéliser c'est donc facile, habituel, normal.

Cependant la modélisation des systèmes d'information exige un approfondissement des mécanismes du modèle parce qu'il y a un multiple jeu de représentation (voir l'illustration de la page suivante) :

1 – Le système d'information représente à chaque moment le monde réel géré par l'entreprise. La fiche client représente le client : c'est une modélisation.

2 – Le modèle conceptuel dont on parle dans cet ouvrage est un modèle du système d'information concret qui fonctionne ou va fonctionner.

3 – Le réel géré par l'entreprise n'est pas connu dans toute sa complexité. On retient des types de choses répétitives (clients, produits, factures...). On s'intéresse à certains aspects (prix, quantités, adresses...) et on en néglige d'autres (âge du chauffeur, couleur des yeux du directeur...). Cette modélisation permet de se centrer sur ce qui intéresse les gestionnaires. C'est le résultat d'un choix de perception.

4 – La conception du système d'information s'appuie sur la modélisation du monde réel tel qu'on le perçoit pour en déduire les entités, relations, propriétés et traitements.

Le jeu de quatre modélisations complique évidemment la tâche des concepteurs des systèmes d'information.

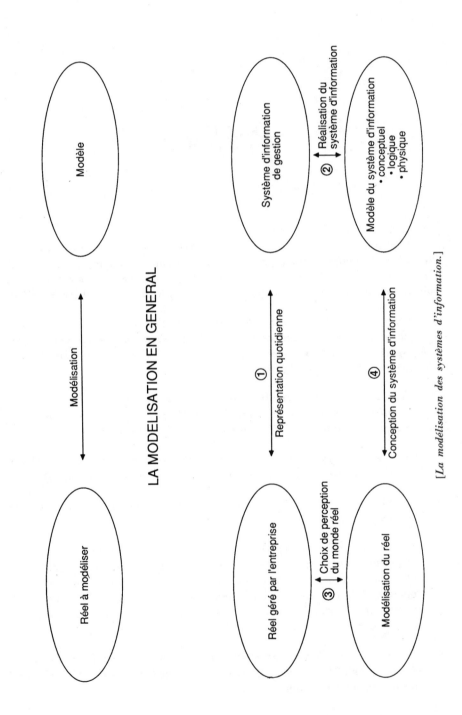

LA MODELISATION EN GENERAL

Réel à modéliser

Modélisation

Modèle

① Représentation quotidienne

④ Conception du système d'information

Réel géré par l'entreprise

③ Choix de perception du monde réel

Modélisation du réel

Système d'information de gestion

② Réalisation du système d'information

Modèle du système d'information
• conceptuel
• logique
• physique

[*La modélisation des systèmes d'information.*]

Le modèle du système d'information est le plus éloigné du monde réel. Il ne communique avec lui qu'au travers soit du modèle de ce réel tel qu'il est perçu, soit du système d'information concret mis en place dans l'entreprise. On comprend qu'il y ait deux voies pour le construire : soit à partir des systèmes d'information existants, soit à partir des perceptions du monde réel. Le grand intérêt des approches présentées dans le livre de Remi Planche est de s'appuyer simultanément sur ces deux aspects pour parvenir à une notion de modèle du système d'information qui soit à la fois pragmatique et cohérente avec les théories les plus récentes.

La modélisation du système d'information s'exprime en termes de données et en termes de traitements. Les écoles de recherche françaises ont privilégié la modélisation des données. Les écoles américaines ont centré leur attention sur la modélisation des traitements, notamment dans l'analyse structurée. C'est un grand mérite des réflexions québécoises d'avoir proposé une synthèse de ces démarches en profitant des facilités offertes par les deux écoles dans les points où elles étaient les plus efficaces.

Remi Planche utilise le formalisme entité-relation, formalisme graphique très commode pour une vision globale des données sans perdre le niveau de précision nécessaire.

Pour les traitements, il emploie le formalisme de Gane et Sarson en termes de flux de données, fonctions et lieux de stockage. Mariage heureux qui est bien analysé en termes d'accès aux données nécessaires pour accomplir les fonctions.

Tout à fait pertinente, cette présentation de la conception des systèmes d'information trouve toute sa valeur dans la clarté de l'exposé. Clarté qui vient de la multitude des exemples. La rigueur de l'exposé théorique est bien souvent antipédagogique. Ici on montre, on guide par la mise en œuvre concrète des concepts. La lisibilité vient de la multitude des figures, des schémas. Voilà un beau succès de rédaction qui est le gage d'une lecture large de cet ouvrage par tous ceux qui sont amenés à concevoir des systèmes d'information.

Remi Planche nous invite tous à modéliser, je voudrais dire pourquoi cela est efficace. Mais comment le faire sans apporter des considérations abstraites ? Alors utilisons une image. Quittons le domaine des systèmes d'information.

Le voyage, le déplacement, le transport sont des activités physiques. Avant d'en avoir une représentation, un modèle, les animaux entrent en migration, par l'instinct. Les caribous ou les hirondelles parcourent des milliers de kilomètres à l'automne et au printemps.

De ces mouvements, l'homme a construit des modèles, les cartes du territoire, cartes de plus en plus précises, ou cartes globales à grande échelle. Toutes servent à s'orienter, à suivre les déplacements qui ont lieu, à prévoir les voyages que l'on veut faire. La carte modèle du territoire pour s'y mouvoir est un auxiliaire de l'action. Certes elle est inutile pour nos déplacements quotidiens, nous connaissons nos itinéraires. Sur un trajet nouveau, elle est indispensable.

De même, pour des applications informatiques, la modélisation conceptuelle ne sert pas si l'on connaît parfaitement le problème, si l'on a coutume régulièrement de réaliser une telle application. Mais justement, le plus souvent, en informatique de gestion, le concepteur est face à un problème nouveau pour lui, il doit innover par rapport à son expérience personnelle, par rapport aux habitudes de l'entreprise, par rapport aux équipes qui vont réaliser les programmes et la documentation. C'est pour cela que la modélisation du système d'information est autant utile que la carte, à celui qui s'aventure sur un territoire nouveau qu'il ne connaît pas. C'est un gage de succès dans ses pérégrinations.

Alors bon voyage avec Remi Planche dans le pays des systèmes d'information.

Jean-Louis PEAUCELLE
Docteur d'État en Informatique

Table des matières

REMERCIEMENTS

A tous ceux qui m'ont encouragé et aidé, plus spécialement :

– Gérard Vahée, directeur à la Compagnie générale d'informatique, qui m'a initié à MERISE ;

– mes collègues consultants et plus particulièrement Jean-François Coulonval, Jean-Pierre Delwasse, François Labrousse ;

– François Lustman, professeur et directeur du département d'informatique et de recherche opérationnelle de l'Université de Montréal et Carmen Bernier, professeur à l'Université du Québec à Montréal, pour leurs suggestions constructives ;

– Claudette Millmore et son équipe pour leur efficacité inlassable et la qualité de leur travail, malgré les révisions successives.

―――

A Bonnie, mon épouse, sans qui ce livre
n'aurait pas vu le jour,
et à notre famille.

―――

Avant-propos

Les modèles conceptuels de données, proposés par le rapport ANSI-SPARC de 1975, ont été développés par l'équipe d'Hubert Tardieu à Aix-en-Provence et par Peter Chen aux États-Unis.

En France, ils ont été à l'origine de la méthode MERISE de développement de systèmes d'information et ont contribué à son succès. En Amérique, où l'on favorisait l'étude des traitements, ils n'ont pas connu tout de suite une diffusion aussi rapide. Au Québec cependant, Daniel Pascot a transplanté une modélisation conceptuelle de style MERISE et les praticiens l'ont rapprochée des techniques d'analyse structurée qu'ils utilisaient déjà. La greffe a réussi, donnant le jour à une nouvelle variété de méthode de développement (*fig. A1 et A2*).

Cet ouvrage est né dans ce contexte. C'est avant tout un ouvrage didactique destiné aux analystes désireux d'affermir leurs connaissances en modélisation conceptuelle. Celle-ci fait encore trop souvent figure de technique pour initiés. L'ouvrage tente de remédier à cette situation en présentant en détail les modèles conceptuels, en démontant leurs mécanismes de construction et en fournissant de nombreux exemples. Ceci constitue la première partie, soit environ les deux tiers de l'ouvrage.

Mais le propos de l'ouvrage est aussi d'indiquer concrètement comment les modèles conceptuels sont utilisables pour préparer la réalisation de systèmes d'information. Cette présentation, qui constitue le dernier tiers de l'ouvrage, établit fermement les liens qui existent entre données et traitements et débouche sur des exemples de réalisation à l'aide d'outils logiciels de quatrième génération.

Le plan de l'ouvrage est conforme à ce double propos.

Le chapitre 1 est une vue d'ensemble qui présente différents types de modèles, qui les situe brièvement dans une démarche de développement intégrant modélisation conceptuelle et analyse structurée et qui donne une description résumée de ces modèles.

Les trois chapitres suivants, consacrés au modèle conceptuel, constituent le coeur de l'ouvrage.

Au chapitre 2, ce modèle est présenté selon le formalisme individuel, diffusé par MERISE, avec une précision supplémentaire, soit les règles de traitement faisant partie de la définition des données. Pour rappeler cette particularité, on emploie le terme de « modèle conceptuel » plutôt que celui de « modèle conceptuel de données » .

Le chapitre 3 présente différents moyens de transformer un modèle conceptuel pour en tirer des vues (ou modèles externes) qui, par la suite, serviront de base à la description des composants d'un système. Il présente aussi les opérations inverses, qui permettent de réaliser l'intégration et la normalisation du modèle.

Le chapitre 4 décrit une démarche par étapes, utilisable pour élaborer progressivement des modèles conceptuels, dans le cadre du développement des systèmes d'information d'une entreprise.

Les trois derniers chapitres montrent les applications du modèle conceptuel au développement de systèmes d'information. On y introduit d'autres types de modèles, qui suivent le formalisme d'analyse structurée de Gane et Sarson. Ce formalisme, répandu en Amérique et diffusé en France sous l'égide de l'Université de Bordeaux, présente l'intérêt d'être utilisable à des niveaux général et détaillé et de bien mettre en évidence les composants d'un système et leurs interrelations. Ces modèles sont dénommés « modèles de systèmes », puisqu'il décrivent aussi bien les données que les traitements qui leur sont associés.

Conformément à une distinction fondamentale, le chapitre 5 présente le modèle logique, qui fait abstraction des moyens matériels ou humains utilisés ; tandis que le chapitre 7 présente le modèle physique, qui tient compte de ces moyens.

Un chapitre intermédiaire, le chapitre 6, présente un formalisme fondé sur l'approche relationnelle, qui facilite la transition entre le formalisme utilisé pour la modélisation conceptuelle et les outils relationnels de développement disponibles sur le marché.

Cette deuxième partie de l'ouvrage cherche à montrer les prolongements pratiques de la modélisation conceptuelle sans s'appesantir sur la description des modèles de système ni sur leur démarche d'élaboration. Le lecteur établira sans difficultés les liens avec la première partie de l'ouvrage puisque tous les composants de ces modèles sont interprétés en termes du modèle conceptuel.

La puissance du modèle conceptuel provient de ce qu'il représente la réalité dont traite un système plutôt que le système lui-même. Ainsi, il fournit une fondation stable pour sa conception et sa réalisation, mais il n'y suffit pas. L'ouvrage conclut sur la nécessité d'une approche intégrée, tenant compte de toutes les dimensions des systèmes d'information.

Correspondance
entre méthodes de développement

Les deux tableaux qui suivent situent la méthode de développement présentée dans cet ouvrage par rapport à MERISE et à l'analyse structurée selon Gane et Sarson. Le premier concerne les types de modèles (*fig. A.1*) et le second, les phases de développement d'un système d'information (*fig. A.2*).

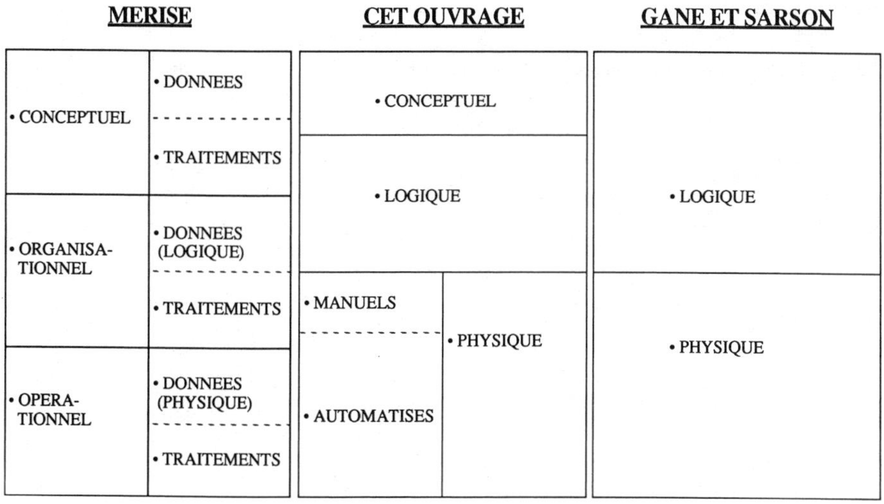

MERISE		CET OUVRAGE		GANE ET SARSON
• CONCEPTUEL	• DONNEES	• CONCEPTUEL		
	• TRAITEMENTS	• LOGIQUE		• LOGIQUE
• ORGANISA-TIONNEL	• DONNEES (LOGIQUE)			
	• TRAITEMENTS	• MANUELS	• PHYSIQUE	• PHYSIQUE
• OPERA-TIONNEL	• DONNEES (PHYSIQUE)	• AUTOMATISES		
	• TRAITEMENTS			

[FIG A.1. – *Correspondance des types de modèles.*]

MERISE	CET OUVRAGE	GANE ET SARSON

• SCHEMA DIRECTEUR	• PLAN DIRECTEUR
	
	• ARCHITECTURE
	  DES SYSTEMES
	  DE L'ENTREPRISE	

• ETUDE PREALABLE	• ETUDE PRELIMINAIRE	• ETUDE PRELIMINAIRE

• ETUDE DETAILLEE	• ARCHITECTURE
	  DES SYSTEMES
	  DU DOMAINE
		• ETUDE DETAILLEE

	• SPECIFICATION
	  DE LA TRANCHE
	  DE REALISATION	

• REALISATION	• REALISATION	• CONCEPTION PHYSIQUE • DEVELOPPEMENT
	• ESSAIS D'ACCEPTATION	• ESSAIS ET RECEPTION
• MISE EN ŒUVRE	• MISE EN ŒUVRE	

[Fɪɢ A.2. – *Correspondance des phases de développement d'un système d'information.*]

1. Vue d'ensemble

« *Nous évoluons dans une telle jungle de* systèmes
entremêlés et quelquefois contradictoires qu'il peut sembler
simpliste de penser en ces termes. Mais il est souvent
important de formuler très clairement des idées simples
afin de pouvoir s'en servir comme modèles lorsque l'on
aborde des idées plus complexes. »
D.Hofstadter, *Gödel, Escher, Bach.*

Ce chapitre plonge le lecteur dans le vif du sujet.

Il propose tout d'abord quelques définitions de portée générale en vue de situer les activités de modélisation dans le processus de développement des systèmes d'information d'une entreprise.

Il présente ensuite, en résumé, chacun des produits de la modélisation, dans leur forme achevée. Ceux-ci sont illustrés par un échantillon d'exemples, tous tirés d'un même cas de base, servant de toile de fond à l'ensemble de l'ouvrage.

Le lecteur qui aborde ce chapitre pour la première fois est invité à le parcourir rapidement, pour en prendre connaissance globalement, mais sans chercher à assimiler les détails. Il trouvera des définitions plus complètes et des explications plus progressives dans la suite de l'ouvrage et aura l'occasion de revenir plus tard à ce premier chapitre.

En raison du propos de l'ouvrage, la terminologie employée emprunte aux vocabulaires de MERISE, du formalisme entité-relation, de l'analyse structurée et de l'approche relationnelle.

1.1. DÉFINITIONS GÉNÉRALES

Systèmes d'information

Un *système* est un ensemble de composants fonctionnant ensemble pour atteindre un certain nombre d'objectifs communs.

Un *système d'information* est un système qui a pour objectifs de rassembler, de traiter, de manipuler et de fournir les informations nécessaires à certaines activités. Habituellement, un système d'information contient des composants manuels et d'autres composants automatisés.

Modèles

Un *modèle* est une représentation d'un système qui vise à en faciliter la compréhension, en mettant en évidence certains aspects ou certaines parties et en ignorant les autres.

Un modèle est d'autant plus abstrait qu'il ignore plus de détails de la réalité. L'approche exposée dans cet ouvrage utilise trois *types de modèles*, soit du plus concret au plus abstrait (*fig. 1.1*) :

- le *modèle physique*, qui décrit complètement le système : circulation et traitement de l'information, composants informatiques, composants manuels ;

- le *modèle logique* (le mot est pris au sens de l'analyse structurée), qui décrit les informations et les manipulations qu'elles subissent ; ce modèle est sous-jacent au modèle physique et fait abstraction de toute référence à des supports matériels ;

- le *modèle conceptuel*, qui décrit le contenu sous-jacent au modèle logique, soit la signification des informations et les liens qui les unissent ; ce modèle fait abstraction des manipulations d'informations décrites au niveau logique.

Le modèle physique d'un système d'information est le plus complet mais aussi le plus complexe. Il est dépendant de la solution pratique mise en œuvre.

Le modèle logique du système est plus simple. Étant indépendant des moyens matériels employés, il est utilisable autant pour un système manuel que pour le même système automatisé. Cependant, il contient des choix quant à l'organisation des données et des traitements.

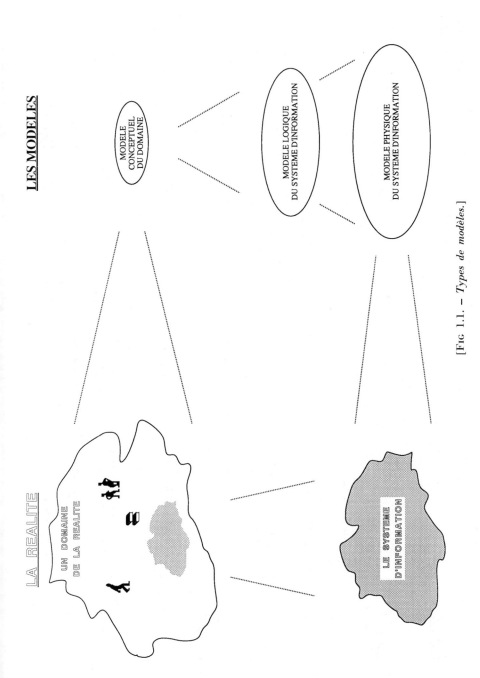

[Fɪɢ 1.1. – *Types de modèles.*]

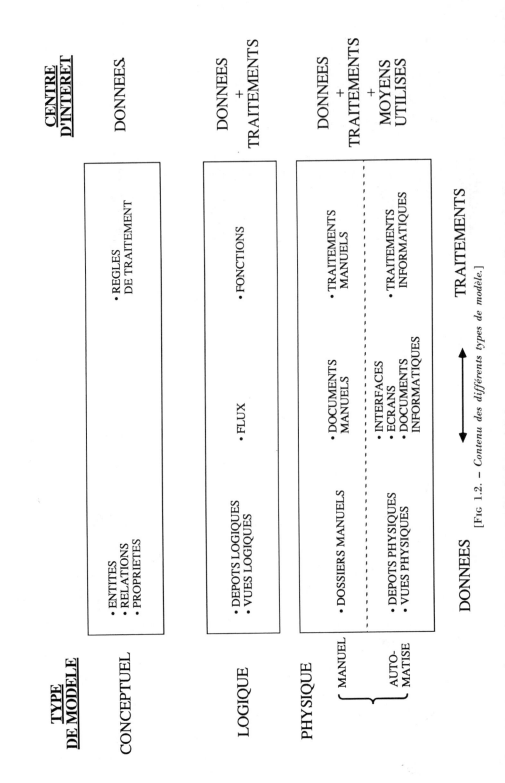

[Fig 1.2. – *Contenu des différents types de modèle.*]

C'est le modèle conceptuel qui est le plus synthétique et le plus permanent. Étant indépendant de l'organisation des données et traitements, il représente en fait non pas le système, mais la réalité fondamentale du *domaine* d'activité auquel s'applique le système.

Chaque type de modèle est décrit à l'aide de *composants* qui lui sont propres (*fig. 1.2*), mais il existe une correspondance d'un type à l'autre : certains composants sont plus directement reliés aux *données*, c'est-à-dire à l'information traitée, tandis que d'autres le sont aux *traitements*, c'est-à-dire aux opérations subies par les données ; d'autres enfin jouent un rôle intermédiaire et présentent simultanément les deux aspects. La vision « données » d'un système tend à être globale, tandis que la vision « traitements » tend à rester locale.

Modélisation

La *modélisation* est l'activité qui consiste à bâtir des modèles, soit pour décrire un système d'information existant (analyse), soit pour élaborer un nouveau système d'information (conception).

Pour développer un système, l'analyste est amené à utiliser ces deux types de modélisation. L'*analyse* du système existant vise à en atteindre rapidement les fondements, en extrayant de sa description physique une description logique du système et une description conceptuelle du domaine. La *conception* du nouveau système opère de façon inverse : elle se fonde sur le modèle conceptuel du domaine et elle l'enrichit progressivement pour élaborer le modèle logique puis le modèle physique du système.

Développement de systèmes d'information

Malgré leur grande utilité, les techniques de modélisation ne suffisent pas pour développer des systèmes d'information. Il se pose des problèmes d'opportunité et de cohérence qui ne peuvent être résolus que dans le cadre d'une démarche globale. En général, on cherche à organiser le développement des systèmes d'une entreprise (*fig. 1.3*) par niveaux et par phases.

Ainsi, au niveau de l'entreprise, on peut procéder à une phase d'orientation : le *plan directeur*, suivie ou combinée à une phase de modélisation plus en profondeur : *l'architecture des systèmes de l'entreprise*.

Au niveau de chaque domaine d'activité important, on peut avoir une phase d'orientation : *l'étude préliminaire du domaine*, suivie ou combinée à une phase de modélisation plus en profondeur : *l'architecture des systèmes du domaine*.

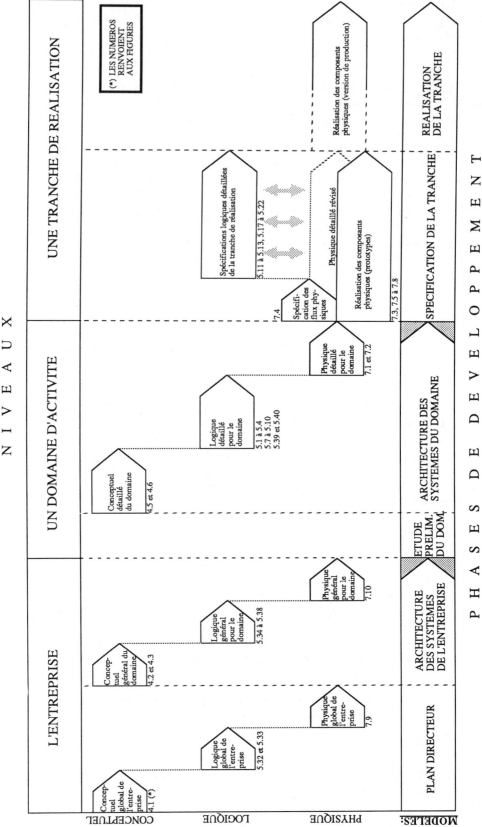

NIVEAUX

L'ENTREPRISE · UN DOMAINE D'ACTIVITE · UNE TRANCHE DE REALISATION

(*) LES NUMEROS RENVOIENT AUX FIGURES

Conceptuel global de l'entreprise 4.1 (*)

Conceptuel général du domaine 4.2 et 4.3

Conceptuel détaillé du domaine 4.5 et 4.6

Logique global de l'entreprise 5.32 et 5.33

Logique général pour le domaine 5.34 à 5.38

Logique détaillé pour le domaine 5.1 à 5.4 5.7 à 5.10 5.39 et 5.40

Spécifications logiques détaillées de la tranche de réalisation 5.11 à 5.13, 5.17 à 5.22

Physique global de l'entreprise 7.9

Physique général pour le domaine 7.10

Physique détaillé pour le domaine 7.1 et 7.2

Physique détaillé révisé

Spécification des flux physiques 7.4

Réalisation des composants physiques (prototypes) 7.3, 7.5 à 7.8

Réalisation des composants physiques (version de production)

PLAN DIRECTEUR · ARCHITECTURE DES SYSTEMES DE L'ENTREPRISE · ETUDE PRELIM. DU DOM. · ARCHITECTURE DES SYSTEMES DU DOMAINE · SPECIFICATION DE LA TRANCHE · REALISATION DE LA TRANCHE

PHASES DE DEVELOPPEMENT

MODELES: CONCEPTUEL · LOGIQUE · PHYSIQUE

[FIG 1.3. – *La modélisation dans le processus de développement.*]

Au niveau de chaque tranche de réalisation de systèmes du domaine, on peut avoir une phase de *spécification*, suivie d'une phase de *réalisation*, d'essais et de mise en œuvre.

Au cours de cette démarche de développement, les modèles sont élaborés progressivement, en relation avec les objectifs de chaque phase, sur les trois plans : conceptuel, logique et physique.

Ainsi, le *modèle global d'entreprise* donne une vision des systèmes au niveau le plus élevé et constitue un support de réflexion pour l'élaboration des plans à long terme.

Les *modèles généraux de domaines* précisent le modèle global et jouent un rôle semblable, au niveau de chacun des domaines d'activité de l'entreprise.

Les *modèles détaillés* préparent la réalisation des nouveaux systèmes d'information en identifiant et situant tous les composants à réaliser et à mettre en place.

Finalement, les *spécifications détaillées* décrivent ces composants avec le degré de détail nécessaire pour leur *réalisation*.

La démarche de développement fournit un cadre qui permet de mieux situer les activités et les produits de la modélisation.

1.2 LE MODÈLE CONCEPTUEL EN RÉSUMÉ

Données

Dans le modèle conceptuel d'un domaine, les données se représentent à l'aide d'un *diagramme entité-relation* (*fig. 1.4*) dont les principaux composants sont les entités, les relations et les propriétés.

Les *entités*, dessinées sous forme de rectangles, représentent différents ensembles d'individus, de choses ou d'événements qui font partie du domaine.

Les *relations*, dessinées sous forme de cercles ou de figures arrondies, représentent différents ensembles d'interactions qui existent entre des entités et qui font partie du domaine. Une relation relie un certain nombre d'entités (au moins deux) qui sont ses *entités participantes*. Sa signification s'obtient en formant une phrase avec le verbe qui la désigne et les noms

DISTRIBUTION DE MATERIEL

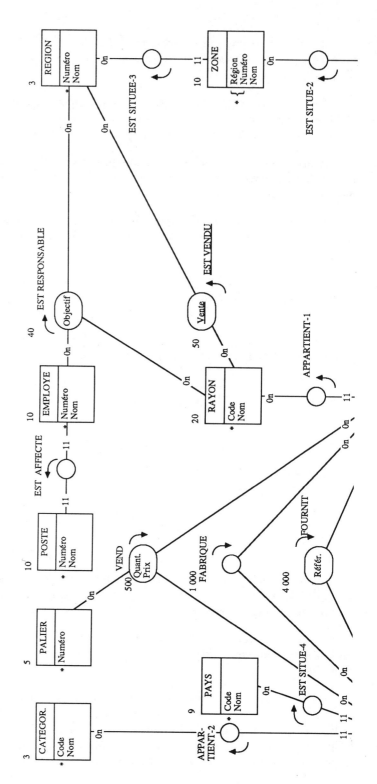

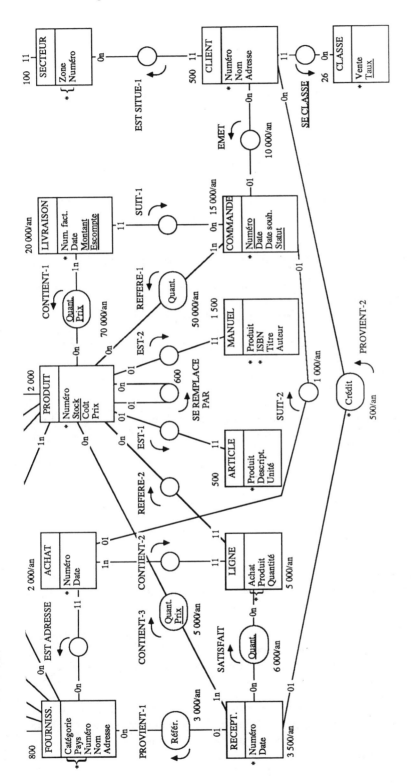

[Fɪɢ 1.4. – *Modèle conceptuel : diagramme entité-relation.*]

des entités qui lui sont reliées : la flèche placée près de la relation indique dans quel sens former cette phrase.

DOMAINE: DISTRIBUTION DE MATERIEL

DEFINITION: Pour l'entreprise étudiée, la distribution de matériel comprend l'achat, le stockage et la vente d'articles et de manuels. Ces produits sont achetés auprès de divers fournisseurs locaux et étrangers, stockés au siège social et vendus à une clientèle nationale répartie sur le territoire

[FIG 1.5. – *Définition d'un domaine d'activité.*]

Les entités et relations s'appellent les *objets* du modèle.

Une entité, et parfois une relation, possèdent des propriétés, qui sont inscrites à l'intérieur de la figure correspondante. Une *propriété* est un élément d'information appartenant à la description d'un objet.

Les différents individus ou cas représentés par un même objet s'appellent les *occurrences* de l'objet. Leur nombre est la *population* de l'objet ; il est inscrit à côté de celui-ci.

Certaines propriétés ou groupes de propriétés permettent de distinguer de façon unique chaque occurrence d'un même objet. On les appelle des identifiants et on les marque d'un astérique dans le diagramme.

En résumé, un diagramme entité-relation est une représentation symbolique détaillée et précise d'un domaine d'activité (*fig. 1.5*).

Règles de traitement

Dans le modèle conceptuel d'un domaine, les données sont soumises à des *règles de traitement* qui précisent les conditions d'existence des entités et relations ainsi que les valeurs permises pour les propriétés.

Certaines sont des *règles implicites* : elles s'expriment directement par la structure du diagramme entité-relation, c'est-à-dire par le choix des entités, des relations et des identifiants. Comme telles, elles n'ont pas besoin d'être énoncées explicitement.

D'autres règles, les *règles de cardinalités*, s'expriment aussi dans le diagramme entité-relation, par des symboles placés sur les branches des relations : ceux-ci indiquent dans quelles conditions les entités peuvent participer aux relations en question.

Seules les *règles de traitement explicites* s'expriment sous forme d'énoncés séparés (*fig. 1.6*). De plus, les propriétés qui sont calculées à l'aide d'une règle de traitement sont soulignées dans le diagramme entité-relation.

DISTRIBUTION DE MATERIEL

OBJET/PROPRIETE	REGLE DE TRAITEMENT
CLASSE	
Taux	$= 0$ si Vente $\leq$ Minimum $=$ Coefficient . (Vente - Minimum) arrondi; le maximum est 0,25
COMMANDE	
Numéro	$= 1 +$ Numéro précédent
Date souhaitée	$\geq 2 +$ Date du jour
Statut	$=$ "A LIVRER" si rien n'a été livré "PARTIEL" si une partie a été livrée "COMPLET" si tout a été livré
PRODUIT	Un PRODUIT est soit un ARTICLE soit un MANUEL
Prix	$\geq$ Coût . (1 + Profit)
Stock	$=$ Ancien Stock - Quantité livrée (après une LIVRAISON) $=$ Ancien Stock + Quantité reçue (après une RECEPTION)
SE REMPLACE PAR	Si le Stock d'un PRODUIT est 0 et s'il existe un PRODUIT par lequel il SE REMPLACE, on le propose au client
ETC	

[FIG 1.6. – *Modèle conceptuel : règles de traitement.*]

Utilité du modèle conceptuel

Les concepts présentés dans le résumé qui précède sont approfondis dans les chapitres 2 et 3 de cet ouvrage, tandis que le chapitre 4 explicite la démarche de *modélisation conceptuelle*. Avant d'en poursuivre l'étude, il est utile d'attirer l'attention sur les points suivants.

DISTRIBUTION DE MATERIEL

REGION

Il existe 3 régions identifiées par un numéro de région et qui possèdent un nom.

ZONE

Il existe 10 zones identifiées par un numéro de zone à l'intérieur d'une région et qui possèdent un nom.

ZONE EST SITUEE-3 REGION

Chaque zone est située dans une région unique.
Une région peut posséder un nombre quelconque de zones.

SECTEUR

Il existe 100 secteurs identifiés par un numéro de secteur à l'intérieur d'une zone.

SECTEUR EST SITUE-2 ZONE

Chaque secteur est situé dans une zone unique.
Une zone peut posséder un nombre quelconque de secteurs.

CLIENT

Il existe 500 clients identifiés par un numéro de client et qui possèdent un nom et une adresse.

CLASSE

Il existe 26 classes de clients identifiées par le niveau de vente. A chaque classe correspond un taux d'escompte calculé en fonction de ce niveau, allant de 0 au niveau minimum jusqu'à 0,25 au niveau maximum.

CLIENT SE CLASSE DANS CLASSE

Chaque client est classé selon les ventes de l'année précédente.
Un client est dans une classe unique.
Une classe peut posséder un nombre quelconque de clients.

CLIENT EST SITUE-1 SECTEUR

Chaque client est situé dans un secteur unique.
Un secteur peut posséder un nombre quelconque de clients.

COMMANDE

Il y a 15 000 commandes par an identifiées par un numéro de commande et qui possèdent une date, une date souhaitée de livraison et un statut.
Les numéros de commande sont donnés à la suite les uns des autres.
Il doit y avoir au moins 2 jours entre la date souhaitée et la date de commande.
Le statut indique s'il y a eu ou non des livraisons et s'il reste quelque chose à livrer.

CLIENT EMET COMMANDE

Il y a 10 000 émissions de commandes par an par des clients identifiés.
Un client peut émettre un nombre quelconque de commandes.
Une commande peut être émise par un client identifié ou non.

ETC

[Fig. 1.7. – *Signification du modèle conceptuel.*]

Le modèle conceptuel d'un domaine représente les informations qui peuvent être traitées par les systèmes du domaine et les règles de traitement qui s'y rattachent. Cependant, un modèle conceptuel représente seulement les données *possibles* ou *permises* et non pas leurs valeurs réelles : les entités et relations sont des ensembles de choses ou d'interactions ; les propriétés désignent des ensembles de valeurs, les règles de traitement sont des conditions générales applicables à tous les membres d'un ensemble.

Le modèle conceptuel exprime la *signification* des informations d'un domaine (*fig. 1.7*) et sa structure présente une parenté intuitive avec celle des représentations mentales qu'on peut se faire du domaine.

Tandis que les données réelles sont décrites par une *réalisation* du modèle, c'est-à-dire un ensemble particulier d'occurrences d'objets dont les propriétés ont des valeurs spécifiques, respectant les règles de traitement. A un même modèle, il correspond donc un nombre quasi illimité de réalisations possibles.

En second lieu, la représentation offerte par le modèle conceptuel d'un domaine est en grande partie *statique* : le modèle spécifie l'existence de données sans distinguer s'il s'agit d'information « au repos » ou « en mouvement » ; il n'y a d'ailleurs pas d'ordre privilégié pour lire le diagramme entité-relation. Il en est de même pour les règles de traitement : le modèle conceptuel se borne à énoncer leur existence sans imposer de séquence particulière, laissant ainsi à la modélisation logique le soin de déterminer, parmi les organisations possibles des données et des traitements, celle qui est la plus efficace.

En troisième lieu, la structure d'un modèle conceptuel obéit à des règles de modélisation qui visent à la rendre aussi *modulaire* que possible. Idéalement, le modèle résultant est *normal*, c'est-à-dire qu'il met en évidence sous forme d'entités et de relations tous les *objets élémentaires* que la réalité décrite contient ; il met aussi en évidence toutes les *propriétés élémentaires* et les rattache directement aux objets concernés. Un modèle normal ne contient que des objets, propriétés et règles essentielles, sur lesquelles il importe de s'entendre avant d'aller plus avant dans l'étude détaillée d'un système. En principe, un système conçu à partir d'un modèle normal n'enregistre que des faits élémentaires, aussi indépendants que possible les uns des autres, minimisant ainsi la redondance et les anomalies qui risquent d'en résulter, et facilitant l'entretien du système au cas où l'on prend en compte de nouveaux objets ou propriétés. Mais aussi, un modèle normal met en relief sous forme de règles de traitement toutes les *interrelations élémentaires* qui existent dans la réalité entre ces faits élémentaires, donnant au système la possibilité de les associer de façon pertinente et de dériver n'importe quel fait ou conclusion appropriés.

En dernier lieu, le modèle conceptuel d'un domaine est indépendant des systèmes, manuels ou automatisés, qui en traitent les informations. Ce fait est un grand avantage puisqu'il assure la continuité entre l'analyse d'un système existant et la conception d'un système futur, en donnant une *vision stable* du secteur d'activité analysé.

En résumé, la représentation d'un domaine sous la forme d'un modèle conceptuel normal est particulièrement *synthétique*. D'une part, elle décrit un aspect fondamental d'un système, en précisant entièrement le « quoi » et en laissant toute liberté quant au « comment » . D'autre part, la forme graphique du diagramme entité-relation donne une vision à la fois *globale et détaillée* des données d'un domaine et de leurs interrelations, qui n'est pas évidente dans une description narrative (*fig. 1.7*) ni dans une spécification en liste (*fig. 1.13*) et qui, avec l'habitude, devient un outil de compréhension et de communication indispensable.

1.3. LE MODÈLE LOGIQUE EN RÉSUMÉ

Composants du modèle logique d'un système

Selon le formalisme de Gane et Sarson, un système peut être décrit, au plan logique, par trois sortes de composants : les fonctions, les dépôts et les flux d'information. Ces notions logiques correspondent aux notions physiques de traitements (transformations de données), de bases de données ou de fichiers (données au repos), et de circulation d'information (données en mouvement). Par extension, le présent ouvrage introduit en outre la notion de vue logique, qui représente un prétraitement d'informations extraites d'un dépôt. Les liens entre ces divers composants et avec l'environnement externe se représentent à l'aide de *diagrammes de flux d'information* (ou DFI) *logiques* (*fig. 1.8*).

Par application des principes de l'analyse structurée, un système se subdivise en sous-systèmes (*fig. 1.9*). Un même formalisme permet donc de représenter un système à plusieurs niveaux de détail.

Le *modèle logique d'un système* est constitué par les DFI qui le représentent aux différents niveaux de détail ainsi que par les spécifications détaillées des composants *primaires*, c'est-à-dire de plus bas niveau.

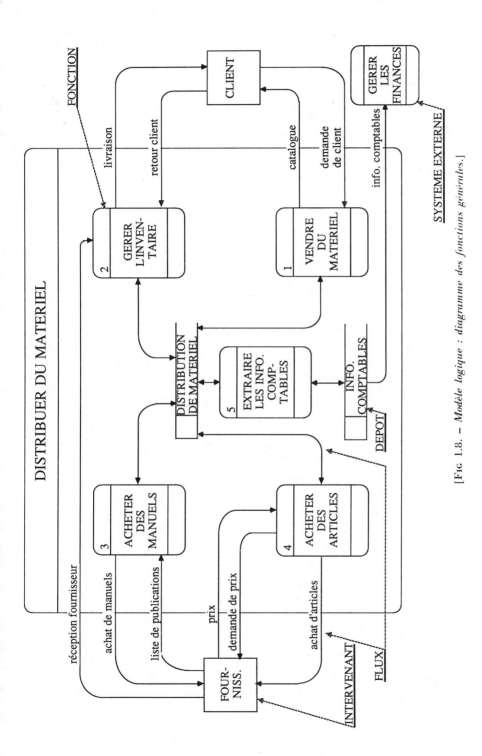

[FIG. 1.8. – *Modèle logique : diagramme des fonctions générales.*]

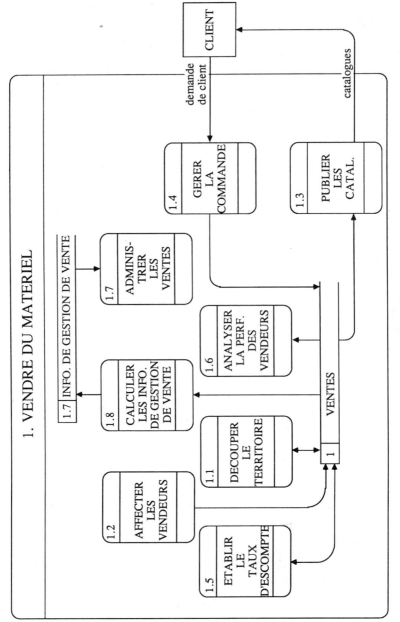

[FIG 1.9. – *Modèle logique : DFI d'une fonction générale.*]

Apport du modèle conceptuel

Lorsque l'analyse d'un système existant a permis d'établir le modèle conceptuel du domaine sous-jacent, on possède bon nombre d'informations sur le contenu de son modèle logique. Une fois que les composants logiques ont été identifiés, la *modélisation logique* du nouveau système comporte l'affectation des données aux différents dépôts et flux, et des règles de traitements aux différentes fonctions.

En fait, un dépôt, une vue logique ou un flux primaire peuvent être décrits à partir d'une *vue (fig. 1.10)* contenant la partie du modèle conceptuel utilisée, ayant subi le cas échéant une transformation adéquate. La description sous forme de vue présente l'avantage de montrer

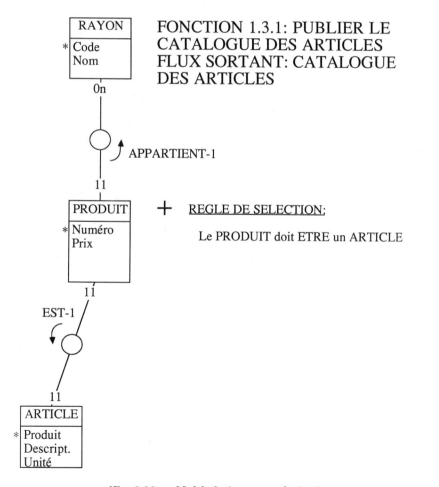

[FIG 1.10. — *Modèle logique : vue de flux.*]

précisément la structure interne des données et leurs interrelations avec d'autres données, tout en incitant à maintenir la cohérence de l'ensemble.

Une fonction primaire peut être décrite à partir d'un *diagramme d'accès (fig. 1.11)* qui montre comment elle accède aux données du dépôt ou de la vue logique qui lui est associé, et de spécifications structurées précisant les *modules d'accès et de traitement* ainsi que les règles de traitement qu'elle met en œuvre *(fig. 1.12)*.

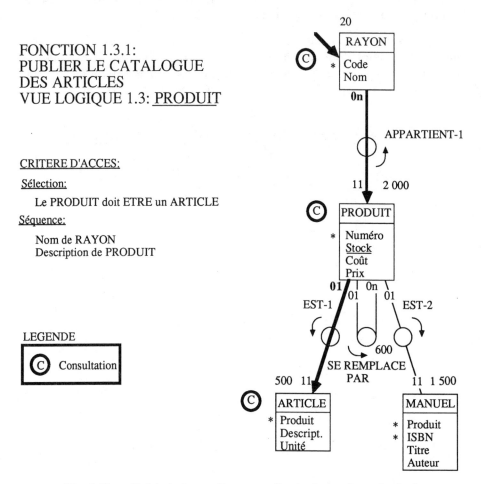

FONCTION 1.3.1:
PUBLIER LE CATALOGUE
DES ARTICLES
VUE LOGIQUE 1.3: PRODUIT

CRITERE D'ACCES:

Sélection:

Le PRODUIT doit ETRE un ARTICLE

Séquence:

Nom de RAYON
Description de PRODUIT

LEGENDE

© Consultation

[FIG 1.11. – *Modèle logique : diagramme d'accès de fonction primaire.*]

FONCTION 1.3.1:
PUBLIER LE CATALOGUE DES ARTICLES

MODULE/OBJET/PROPRIETE	CONDITION OU TRAITEMENT
Ⓣ 1 Retrouver les données	
Ⓣ 1.1 Traiter RAYON	
Ⓒ 1.1.1 Consulter RAYON	Critère d'accès: tous les RAYONS (0 à n fois)
Code Nom }	Retrouver ces données
Ⓣ 1.1.2 Traiter ARTICLE	
Ⓒ 1.1.2.1 Consulter APPAR-TIENT-1, PRODUIT	Critère d'accès: les PRODUITS du RAYON (0 à n fois)
Numéro de PRODUIT Prix }	Retrouver ces données
Ⓒ 1.1.2.2 Consulter EST-1, ARTICLE	Critère d'accès: le PRODUIT est un ARTICLE (0 ou 1 fois)
Description Unité }	Retrouver ces données
Ⓣ 2 Trier les données	Trier par Nom de RAYON et Description d'ARTICLE
Ⓣ 3 Imprimer les données	

LEGENDE
TYPE DE MODULE
Ⓒ Consultation
Ⓣ Traitement

[Fɪɢ 1.12. – *Modèle logique : spécification structurée de fonction primaire.*]

Utilité du modèle logique

Le modèle logique d'un système et la démarche requise pour son élaboration font l'objet du chapitre 5 de cet ouvrage.

Dans un contexte où la modélisation conceptuelle est utilisée, celle-ci prépare la modélisation logique en lui apportant la matière qui doit être intégrée et distribuée dans le modèle logique du système.

L'exercice qui consiste à établir les vues des flux et dépôts ainsi que

DISTRIBUTION

TABLE/ELEMENT

REGION

* * Numéro
* Nom

ZONE

* * { ○ Région
* Numéro
* Nom

SECTEUR

* * { ○ Zone
* Numéro

CLIENT

* * Numéro
* Nom
* Adresse
* ○ Secteur

$$\begin{bmatrix} \text{Vente} \\ \underline{\text{Taux}} \end{bmatrix}_{11}$$

EMPLOYE

* * Numéro
* Nom
* ○ Poste

POSTE

* * Numéro
* Nom

TABLE/ELEMENT

RAYON

* * Code
* Nom

EST RESPONSABLE

* * { ○ Rayon
* ○ Région
* ○ Employé
* Objectif

EST VENDU

* * { ○ Région
* ○ Rayon
* Vente

LIVRAISON

* * Numéro de facture
* Date
* Montant
* Escompte
* ○ Commande

COMMANDE

* * Numéro
* Date
* Date souhaitée
* ○ Statut

○[Client]$_{01}$

[Achat]$_{01}$

TABLE/ELEMENT

REFERE-1

* * { ○ Commande
* ○ Produit
* Quantité

CONTIENT-1

* * { ○ Livraison
* ○ Produit
* Quantité
* Prix

PRODUIT

* * Numéro
* Coût
* Prix
* Stock

○$\begin{bmatrix} \text{Description} \\ \text{Unité} \end{bmatrix}_{01}$

○$\begin{bmatrix} \text{ISBN} \\ \text{Titre} \\ \text{Auteur} \end{bmatrix}_{01}$

○$\begin{bmatrix} \text{Remplacé par} \end{bmatrix}_{01}$

○$\begin{bmatrix} \text{Fournisseur} \\ \text{Référence} \end{bmatrix}_{1n}$

ACHAT

* * Numéro
* ○ Date
* ○ Fournisseur

[Fig 1.13. –

DE MATERIEL

<u>TABLE/ELEMENT</u>

LIGNE

* $\left\{\begin{matrix}\circ\ \text{Achat}\\\circ\ \text{Produit}\end{matrix}\right.$
Quantité

CATEGORIE

* Code
Nom

PAYS

* Code
Nom

FOURNISSEUR

* $\left\{\begin{matrix}\text{Catégorie}\\\text{Pays}\\\text{Numéro}\end{matrix}\right.$
Nom
Adresse

RECEPTION

* Numéro
Date

$\circ\ \left[\begin{matrix}\text{Fournisseur}\\\text{Référence}\end{matrix}\right]_{01}$

$\circ\ \left[\begin{matrix}\text{Client}\\\text{Crédit}\end{matrix}\right]_{01}$

<u>TABLE/ELEMENT</u>

FABRIQUE

* $\left\{\begin{matrix}\text{Fournisseur}\\\circ\ \text{Produit}\end{matrix}\right.$

VEND

* $\left\{\begin{matrix}\circ\ \text{Fournisseur}\\\circ\ \text{Produit}\end{matrix}\right.$

$\left[\begin{matrix}\text{Palier}\\\text{Quantité}\\\text{Prix}\end{matrix}\right]_{1n}$

CONTIENT-3

* $\left\{\begin{matrix}\circ\ \text{Réception}\\\circ\ \text{Produit}\end{matrix}\right.$
Quantité
Prix

SATISFAIT

* $\left\{\begin{matrix}\circ\text{Réception}\\\circ\text{Produit}\\\circ\text{Achat}\end{matrix}\right.$
<u>Quantité</u>

LEGENDE

*	Clé primaire
∘	Clé secondaire
$[\ ]_{01}$	Groupe et cardinalités
	<u>Elément calculé</u>

Schéma relationnel : tables.]

les diagrammes d'accès des fonctions apporte au modèle logique un grand degré de modularité et de précision.

Alors que le modèle conceptuel d'un domaine est statique, le modèle logique d'un système en décrit la *dynamique*. Il précise si les données sont au repos (dépôt) ou en mouvement (flux). Les règles de traitement sont rassemblées à l'intérieur de fonctions qui transforment les flux entrants en flux sortants.

Le modèle logique d'un système contient plus d'informations et de détails que le modèle conceptuel du domaine sous-jacent, mais il laisse encore ouverte la possibilité de différents choix physiques pour sa réalisation.

1.4. UN FORMALISME RELATIONNEL EN RÉSUMÉ

Composants d'un schéma relationnel

Selon l'approche relationnelle, les données d'un système peuvent être représentées par un *schéma relationnel* : un tel schéma est constitué par des *tables* contenant des *éléments de données* (ou *éléments*) (*fig. 1.13*), soumis à des *contraintes d'intégrité* (ou *contraintes*) (*fig. 1.14*).

DISTRIBUTION DE MATERIEL

TABLE/ELEMENT	CONTRAINTE
ZONE	
Région	La REGION de la ZONE doit exister
LIVRAISON, CONTIENT-1	Il existe au moins une occurrence de CONTIENT-1 pour chaque occurrence de LIVRAISON
Numéro	Formé de 5 chiffres
Prix	Prix ≥ Coût . (1 + Profit)
Coût	
Stock	Stock après LIVRAISON = Stock avant LIVRAISON - Quantité de CONTIENT-1
PRODUIT, ARTICLE, MANUEL	Un PRODUIT est soit un ARTICLE, soit un MANUEL
ETC	

[Fig 1.14. – *Schéma relationnel : contraintes.*]

Certains éléments ou groupes d'éléments d'une table peuvent être définis commes des *clés* (ou *index*) permettant d'accéder à des occurrences spécifiques de tables. Une clé peut être *primaire* (marquée d'un « * ») ou *secondaire* (marquée d'un « ° ») selon qu'une valeur spécifique de la clé désigne une occurrence unique ou éventuellement plusieurs occurrences de la table où elle se trouve. Un élément, et en particulier une clé, peut être répété dans une autre table pour indiquer un lien entre tables.

Quant aux traitements d'un système, ils peuvent être spécifiés, selon cette approche, à partir d'un petit nombre d'opérations de base sur les tables, qui forment un langage relationnel.

Correspondance avec le formalisme entité-relation

Les modèles de système établis suivant le formalisme entité-relation se convertissent aisément en schémas relationnels. Une table correspond habituellement à une entité, à une relation ou encore à un regroupement d'objets reliés entre eux. Les clés primaires et une grande partie des clés secondaires sont définies à partir des identifiants. Le regroupement des entités et relations en tables et le choix des clés reposent sur des *règles de dérivation* basées sur la structure du modèle conceptuel. Les contraintes du schéma relationnel s'obtiennent à partir des règles de traitement du modèle conceptuel.

Utilité du formalisme relationnel

Le formalisme relationnel peut être employé partout à la place du formalisme entité-relation. Il est particulièrement utile au plan physique. La démarche nécessaire pour élaborer le schéma relationnel est décrite au chapitre 6 de l'ouvrage.

Les schémas relationnels spécifient à l'aide d'un langage déclaratif la réalité qui est décrite de façon graphique par des diagrammes entité-relation. Dans une certaine mesure, ils leur sont équivalents. Moins expressifs sur le plan visuel, les schémas relationnels ont une structure plus simple et une théorie plus développée. Ils sont plus proches des langages informatiques et notamment des langages relationnels, auxquels il est facile de les adapter.

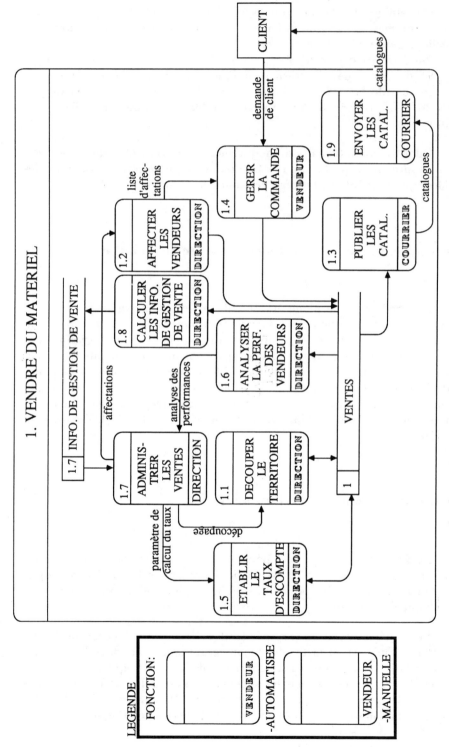

[Fig 1.15. – Modèle physique : diagramme des unités de traitement]

1.5. LE MODÈLE PHYSIQUE EN RÉSUMÉ

Composants du modèle physique d'un système

Au plan physique, un système peut être décrit par des *diagrammes de flux d'information* (ou DFI) *physiques* semblables aux DFI logiques, mais précisant les moyens utilisés. Ainsi, il existe un niveau de DFI où apparaissent les *unités de traitement*, qui sont des fonctions manuelles ou automatisées, regroupées selon l'organisation et les moyens de traitement en place (*fig. 1.15*).

Le modèle physique précise aussi la nature manuelle ou automatisée des dépôts et flux physiques.

Le modèle physique d'un système est donc constitué par les DFI physiques et par les spécifications détaillées de leurs différents composants. Les composants automatisés peuvent être réalisés par exemple à l'aide d'un langage relationnel (*fig. 1.16 à 1.18*).

VENDRE DU MATERIEL

Create Constraint   DELAI-DE-LIVRAISON

COMMANDE . DATE-SOUH. $\geq$ COMMANDE . DATE + 2

"Il faut prévoir au moins deux jours entre la date
souhaitée de livraison et la date de la commande."

Create Constraint   PROFIT

PRODUIT . PRIX $\geq$ PRODUIT . COUT * (1 + PROFIT)

"Le prix de vente d'un produit doit.être fixé de
manière à assurer un pourcentage de profit
établi à l'avance."

Etc

[Fig 1.16. – *Modèle physique : principe de réalisation de contraintes.*]

DEPOT 1: VENTES

Create Table CLIENT

NUMERO   Char(3)
NOM   Char(15)
ADRESSE   Char(30)
SECTEUR   Char(4)
VENTES   Decimal(6.0)
TAUX   Decimal(0.2)

"Un client est une entreprise ou une personne identifiée qui émet des commandes. Il y a environ 500 clients."

Create Table COMMANDE

NUMERO   Char(4)
DATE   Date
DATE-SOUH.   Date
STATUT   Char(1)
CLIENT   Char(3)
ACHAT   Char(4)

"Une commande est un ordre de livraison de produits émis par des clients identifés ou non. Il y a environ 15 000 commandes par an."

Create Table STATUT

CODE   Char(1)
DESCRIPTION   Char(8)

"Le statut de la commande indique s'il y a eu ou non des livraisons et s'il reste ou non des quantités à livrer. Il y a 3 statuts possibles."

Etc...

Create Unique Index CLIENT-PAR-NUMERO
On CLIENT (NUMERO)

Create Unique Index COMMANDE-PAR-NUMERO
On COMMANDE (NUMERO)

Create Index COMMANDE-PAR-CLIENT
On COMMANDE (CLIENT)

[FIG. 1.17. – *Modèle physique : principe de réalisation d'un dépôt.*]

FONCTION 1.3.1:
PUBLIER LE CATALOGUE DES ARTICLES

Create	Program	1.3.1-PUBLIER-LE-CATALOGUE-DES-ARTICLES
	Select	RAYON . CODE, RAYON . NOM, PRODUIT . NUMERO, PRODUIT . DESCRIPTION, PRODUIT . PRIX, PRODUIT . UNITÉ
	From	RAYON, PRODUIT
	Where	RAYON . CODE = PRODUIT . RAYON And PRODUIT . DESCRIPTION Not Null
	Order By	RAYON . NOM, PRODUIT . DESCRIPTION

"Cette fonction produit le catalogue des articles par rayon en ordre alphabétique de rayon et de produit, avec le prix de vente et l'unité de vente de chaque produit."

[FIG 1.18. – *Modèle physique : principe de réalisation d'une fonction primaire.*]

Apport du modèle logique

Le modèle logique d'un système ignore un grand nombre de contraintes de la réalité. De ce fait, il en offre une vision quelque peu idéale, mais dénuée des complexités associées à l'utilisation de moyens réels. Son existence permet de dissocier dans une large mesure la préoccupation de définir ce que le système doit faire, traitée au plan logique, de celle des moyens et des performances, traitée au plan physique.

En décomposant ainsi le problème, cette approche favorise la recherche de solutions bien adaptées, aux plans logique comme physique.

Apport du formalisme relationnel

Un modèle logique exprimé selon un formalisme relationnel tel que celui qui est présenté dans cet ouvrage, se traduit plus ou moins directement en modèle physique. Cette traduction est plus facile dans le cas où on utilise une base de données relationnelle, et plus particulièrement un langage relationnel.

Utilité du modèle physique

Le chapitre 7 décrit sommairement le modèle physique d'un système ainsi que la démarche utilisable pour l'élaborer.

Le modèle physique et les spécifications qui décrivent de façon précise ses composants, constituent en quelque sorte les plans détaillés d'exécution pour la réalisation d'un système d'information.

Lorsqu'on dispose des outils appropriés, il est possible de réaliser directement certains composants du modèle physique sous forme de prototypes. Les prototypes peuvent tenir lieu de spécifications et, dans certains cas, être mis en production.

2. Le modèle conceptuel

« *Lorsque vous êtes confronté à un système formel qui vous est complètement inconnu et que vous espérez y découvrir une signification cachée, il vous faut trouver comment affecter des interprétations significatives à ses symboles.* »
D. HOFSTADTER, *Gödel, Escher, Bach.*

Ce chapitre présente le modèle conceptuel. Pourquoi commencer par le niveau conceptuel alors que c'est le plus abstrait ? La raison est que c'est aussi le moins complexe : le modèle conceptuel ne fait appel à aucune notion informatique préalable.

Pour les lecteurs déjà familiers avec le sujet, rappelons la principale particularité de cet exposé. Outre les données, le modèle conceptuel présenté ici englobe une partie de ce que l'on nomme habituellement traitements : aux composants du diagramme entité-relation s'adjoignent les règles de traitement qui font partie de la définition des données ; ce concept, qui généralise la notion de contrainte d'intégrité fonctionnelle de MERISE, se rattache naturellement aux données et se révèle très utile pour l'utilisation du modèle conceptuel. Signalons d'autres emprunts : les règles de normalisation, transposées de l'approche relationnelle, de même que la notion de « domaine » d'une propriété.

Le modèle présenté ici est le modèle détaillé, afin de permettre au lecteur de voir d'emblée à quoi aboutit le processus de modélisation conceptuelle. En fait, ce modèle ne s'élabore pas d'une seule traite, mais par phases successives où l'intuition joue un aussi grand rôle que l'analyse. Le chapitre 4 expliquera cette démarche.

Un dernier conseil : après avoir terminé l'étude de ce chapitre, revenir au chapitre précédent, examiner en détail l'exemple de modèle conceptuel afin d'en extraire toute la signification, et relire les commentaires sur l'utilité d'un tel modèle.

2.1. DIAGRAMME ENTITÉ-RELATION

Définition

Un *diagramme entité-relation* (*fig. 1.4*) est une représentation symbolique d'un domaine de la réalité (*fig. 1.5*) qui permet de structurer les informations sur les objets du domaine.

Ces objets apparaissent sous formes d'*entités* (rectangles), de *relations* (cercles) et de leurs *propriétés* (inscrites dans le rectangle ou le cercle).

Dans la réalité, et du fait du choix de leur définition, les objets et leurs propriétés sont soumis à des conditions d'existence. Certaines sont représentées sur le diagramme entité-relation : ce sont les *règles de cardinalité* (chiffres et lettres inscrits sur les branches des relations). Les autres sont énoncées séparément : ce sont les *règles de traitement* explicites.

Dans la réalité, et par un choix judicieux des propriétés, il est possible de distinguer les objets du domaine les uns des autres. Ces propriétés ou groupes de propriétés sont des *identifiants* (marqués par un astérisque pour les entités, implicites pour les relations).

Règles de modélisation

(D1)   Le diagramme entité-relation représentant un domaine de la réalité est habituellement formé d'objets reliés entre eux.

(D2)   Le nombre d'objets du diagramme et le nombre de leurs propriétés sont fonction de l'étendue du domaine et de la précision avec laquelle il est modélisé.

Représentation

Le diagramme entité-relation est habituellement présenté sous la forme d'un graphique, accompagné par la description sommaire du domaine.

2.2. ENTITÉS

Définition

Une entité est un ensemble d'individus, de choses ou d'événements semblables qui ont un intérêt pour le système d'information considéré (*fig. 2.1 à 2.4*).

Certaines entités sont concrètes : elles désignent des personnes ou des choses. D'autres sont abstraites : elles désignent des concepts, des catégories, des événements plus ou moins instantanés, des situations plus ou moins durables. Elles peuvent désigner des objets autonomes ou au contraire des parties d'objets, ou différents aspects des mêmes objets.

Règles de modélisation

E0) Les *occurrences* d'une entité, c'est-à-dire les membres individuels de l'ensemble représenté par cette entité, peuvent être *distinguées* les unes des autres et elles peuvent être *dénombrées*.

Le nombre d'occurrences de l'entité s'appelle sa *population*. Celle-ci peut être plus ou moins grande, stable ou évolutive.

E1) Une entité possède *au moins une propriété*, sinon elle ne pourrait être décrite. Les propriétés sont *communes* à l'ensemble de ses occurrences. Plus précisément, chaque propriété *a un sens* pour chaque occurrence de l'entité et possède une *valeur unique*.

E2) Toutes les propriétés d'une entité sont *distinctes* les unes des autres : il n'y a pas de groupe répétitif de propriétés.

Les entités qui respectent les règles (E1) et (E2) sont dites en *première forme normale*.

E3) Une entité possède un *identifiant* constitué à partir de ses propriétés. Puisque les occurrences de l'entité peuvent être distinguées les unes des autres, il n'existe pas deux occurrences qui ont exactement les mêmes valeurs pour toutes leurs propriétés. Plus précisément, il existe un groupe *minimal* de propriétés qui prend des valeurs différentes pour chacune des occurrences de l'entité. Ce groupe est l'identifiant de l'entité.

L'identifiant est *simple*, s'il est formé d'une seule propriété (*fig. 2.1*), *composé* s'il en comprend plusieurs (*fig. 2.2*). A partir d'une valeur déterminée de l'identifiant, il est possible d'identifier précisément quelle occurrence particulière celle-ci désigne.

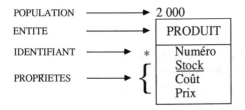

Un PRODUIT identifié par un Numéro
possède une quantité en Stock, un Coût et un Prix

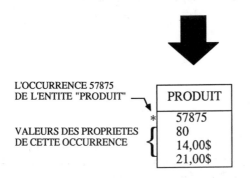

Le PRODUIT 57875 dont la quantité en Stock est
de 80 a un Coût de 14,00$ et un Prix de 21,00$

[Fɪɢ 2.1. – *Entité avec identifiant simple.*]

Il faut bien noter que l'identifiant permet de distinguer les occurrences d'une même entité et non de distinguer cette entité des autres entités.

(E4)   Il peut arriver que certaines valeurs de l'identifiant d'une entité ne correspondent à aucune occurrence de l'entité. Par contre, lorsque l'occurrence existe, elle est unique et il lui correspond une combinaison unique de valeurs des propriétés (*fig. 2.3*). On dit qu'il existe une *dépendance* entre chacune des propriétés de l'entité et son identifiant ou encore que chacune de celles-ci *dépend* de l'identifiant.

(E5)   Inversement, il est évident qu'à chaque combinaison de valeurs des propriétés de l'entité représentant une occurrence existante, il correspond une occurrence unique de celle-ci et par conséquent une valeur unique de l'identifiant.

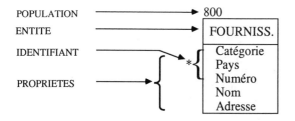

POPULATION → 800

ENTITE → FOURNISS.

IDENTIFIANT → *{ Catégorie
Pays
Numéro

PROPRIETES → Nom
Adresse

Un FOURNISSEUR est identifié par la combinaison d'une
Catégorie, d'un Pays et d'un Numéro; il possède un Nom
et une Adresse

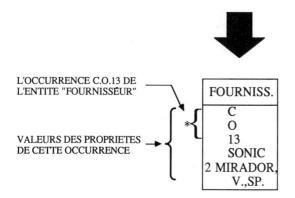

L'OCCURRENCE C.O.13 DE
L'ENTITE "FOURNISSÉUR" → FOURNISS.

*{ C
O
13

VALEURS DES PROPRIETES
DE CETTE OCCURRENCE → SONIC
2 MIRADOR,
V.,SP.

Le FOURNISSEUR C.O.13 dont le Nom est
SONIC et l'Adresse 2 MIRADOR, V., SP.

[FIG 2.2. – *Entité avec identifiant composé.*]

Représentation

Une entité est représentée par un rectangle. Le titre contient
le nom de l'entité et le corps du rectangle contient ses propriétés ;
le groupe de celles qui constituent l'identifiant est précédé d'un
astérisque. La population de l'entité s'inscrit en haut et à gauche
du rectangle représentant l'entité. Les noms des entités sont tous
différents.

La représentation graphique est accompagnée par une définition et,
le cas échéant, par des explications situant l'entité dans le contexte du
modèle ainsi que par des exemples (*fig. 2.4*).

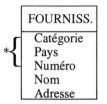

Les occurrences d'une entité dépendent
seulement des valeurs de l'identifiant

L'OCCURRENCE UNIQUE
C.O.13 DE L'ENTITE
"FOURNISSEUR"

Il ne peut pas exister d'autre
occurrence C.O.13 de la même
entité pour la même valeur
de l'identifiant

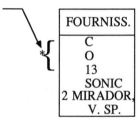

[FIG 2.3. − *Entité dont les occurrences dépendent seulement des valeurs de l'identifiant.*]

ENTITE: PRODUIT

DEFINITION: Produit figurant au catalogue de l'entreprise

EXPLICATIONS: Il y a deux grandes catégories de produits qui sont
approvisionnées différemment: les articles et les manuels.
Seules les propriétés communes à ces deux catégories
font partie de l'entité produit

EXEMPLE: Le produit identifié au catalogue par le numéro 57875,
qui coûte 14,50$, c'est-à-dire le manuel intitulé
"DESSIN" par B. DICK

[FIG 2.4. − *Description d'une entité.*]

2.3. RELATIONS

Définition

Une relation est un ensemble d'interactions semblables qui existent entre des entités données et qui ont un intérêt pour le système d'information considéré (*fig. 2.5 à 2.12*).

Une relation relie deux ou plusieurs entités entre elles. Chacune de ces entités s'appelle un participant de la relation ; le lien avec la relation s'appelle une *participation* (ou un *rôle*). Une relation

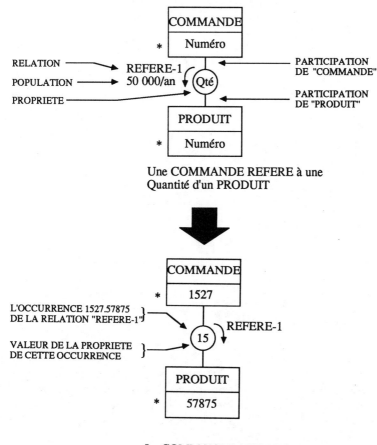

Une COMMANDE REFERE à une
Quantité d'un PRODUIT

La COMMANDE 1527 REFERE à 15
unités du PRODUIT 57875

[FIG 2.5. – *Relation binaire.*]

qui possède deux participations est dite *binaire* (*fig. 2.5*), une relation qui en possède trois est dite *ternaire* (*fig. 2.6*) et ainsi de
suite.

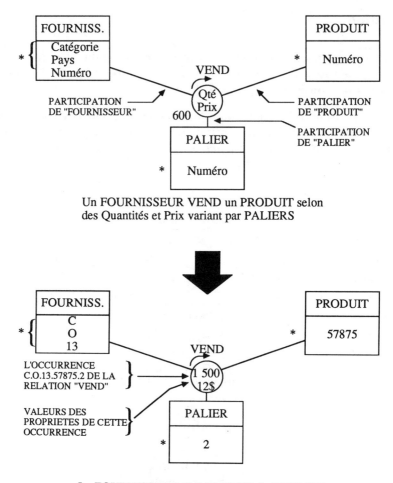

Un FOURNISSEUR VEND un PRODUIT selon
des Quantités et Prix variant par PALIERS

Le FOURNISSEUR C.O.13 VEND le PRODUIT
57875 au PALIER 2 selon une Quantité de 1 500
et un Prix de 12,00$

[FIG 2.6. – *Relation ternaire.*]

Une même entité peut participer à plusieurs relations (*fig. 2.7*).
Inversement, une même relation peut faire participer plusieurs fois la
même entité (*fig. 2.8*) ; chaque participation de l'entité à la relation
est *distincte*. Enfin, il peut exister plus d'une relation entre les mêmes
entités (*fig. 2.9*).

Les relations ont généralement un caractère plus abstrait que les
entités. Elle désignent des associations plus ou moins permanentes entre

entités de natures diverses : localisation, possession, relation entre une partie et un ensemble, appartenance à une catégorie, échange, etc.

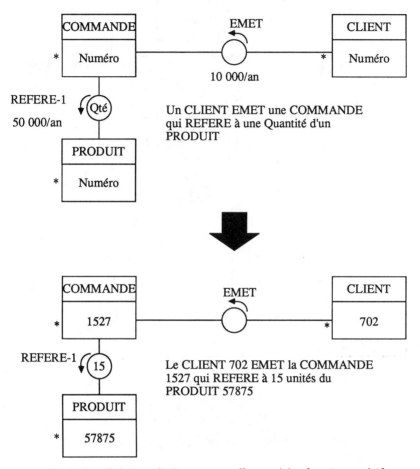

[FIG 2.7. – *Relations distinctes auxquelles participe la même entité.*]

Règles de modélisation

(R0)   Les *occurrences* d'une relation, c'est-à-dire les associations indivi-duelles de l'ensemble représenté par cette relation, peuvent être *distinguées* les unes des autres *selon les occurrences des entités participantes* et elles peuvent être *dénombrées*.

Le nombre d'occurrences de la relation s'appelle sa *population*. Il peut être plus ou moins grand, stable ou évolutif.

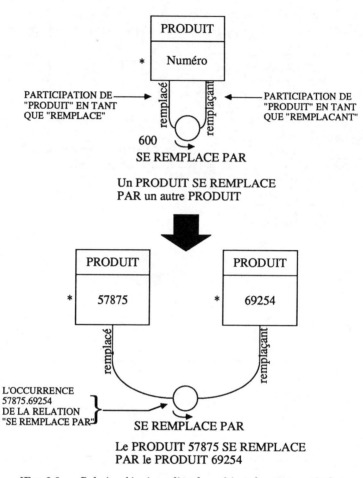

[FIG 2.8. – *Relation binaire reliée deux fois à la même entité.*]

(R1)   Une relation *peut* posséder *explicitement* une ou plusieurs propriétés ; elle peut aussi ne posséder aucune propriété explicite. En
outre, chacune des participations d'une relation constitue une *propriété implicite* (c'est-à-dire sous-entendue) de la relation. Les propriétés explicites et implicites sont *communes* à l'ensemble de ses
occurrences.

Plus précisément, chaque propriété explicite, s'il en existe, a
un sens pour chaque occurrence de la relation et possède une valeur
unique.

De la même manière, chaque propriété implicite d'une relation a un
sens pour chaque occurrence de la relation et désigne une occurrence
unique de l'entité participante : elle a pour valeur l'identifiant de cette
entité pour cette occurrence.

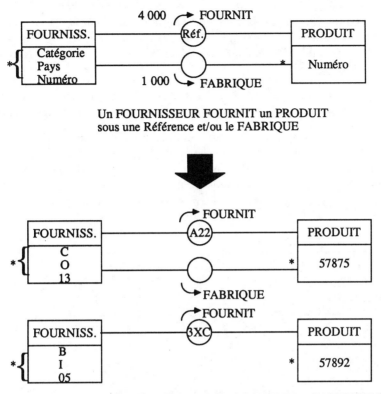

[Fig 2.9. – *Relations distinctes entre deux même entités.*]

R2)   Toutes les propriétés explicites et implicites d'une relation sont *distinctes* les unes des autres : il n'y a pas de groupe répétitif de propriétés.

Les relations qui respectent les règles (R1) et (R2) sont dites en *première forme normale*.

R3)   Une relation possède un *identifiant* constitué à partir des identifiants des entités participantes. Puisque les occurrences de la relation peuvent être distinguées les unes des autres *selon les occurrences des entités participantes,* il n'existe donc pas deux occurrences de la relation qui ont exactement les mêmes valeurs pour toutes leurs participations. Plus précisément, il existe un groupe *minimal* de participations qui prend des valeurs différentes pour chacune des occurrences de la relation. Ce groupe est l'identifiant de la relation.

Certaines relations ont un identifiant *simple*, formé d'une seule participation. D'autres relations ont un identifiant *composé*, qui comprend plusieurs participations. A partir d'une valeur déterminée de l'identifiant, il est donc possible d'identifier précisément quelle occurrence particulière celle-ci désigne.

Il faut bien noter que l'identifiant permet de distinguer les occurrences de la relation et non de distinguer cette relation des autres relations.

(R4)   Il peut arriver que certaines valeurs de l'identifiant d'une relation ne correspondent à aucune occurrence de la relation. Par contre, lorsque l'occurrence existe, elle est unique et il lui correspond une combinaison *unique* de valeurs des propriétés explicites et implicites (*fig. 2.10*). On dit qu'il existe une *dépendance* entre chacune des propriétés explicites et implicites de la relation et son identifiant.

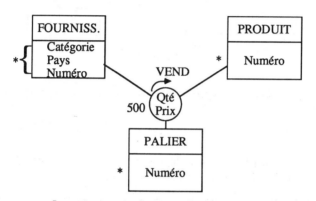

Les occurrences d'une relation dépendent seulement des occurrences des entités participantes

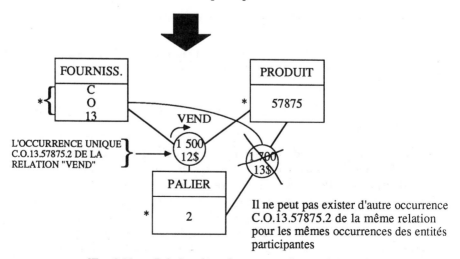

[Fig 2.10. – *Relation dépendante envers les participants.*]

R5)   Inversement, il est évident qu'à chaque combinaison de valeurs des propriétés (implicites et explicites) de la relation représentant une occurrence existante, il correspond une occurrence unique de celle-ci et par conséquent une valeur unique de l'identifiant. Par contre, ceci n'est pas vrai si l'on se limite aux propriétés *explicites* de la relation : deux occurrences différentes peuvent très bien avoir exactement les mêmes valeurs pour ces propriétés.

Il est intéressant de comparer les règles (E0) à (E5) applicables aux entités et les règles (R0) à (R5) applicables aux relations. Il apparaît que les entités sont souvent des objets autonomes, c'est-à-dire simples, alors que les relations sont des objets dont l'existence est subordonnée à celle des entités, c'est-à-dire composés. A part cette différence, les mêmes règles s'appliquent. Ce point est mis en relief dans la section sur les identifiants.

Représentation

Une relation est représentée par une figure arrondie reliée par des *branches* aux entités participantes. Chaque branche correspond à une participation distincte à la relation. Les propriétés explicites, s'il en existe, sont inscrites à l'intérieur de la figure. Le verbe qui décrit la relation est écrit près de celle-ci avec une flèche qui indique dans quel sens lire la phrase caractérisant la relation. Toutefois, cette flèche n'indique pas une direction privilégiée : la relation pourrait être énoncée à l'aide d'un autre verbe et d'une phrase se lisant en sens inverse (*fig. 2.11*) ; il s'agit encore de la même relation.

Lorsque plusieurs relations s'expriment par le même verbe, on les distingue en ajoutant des suffixes différents à ce verbe.

La nature de la participation d'une entité à une relation peut être inscrite le long de la branche correspondante ; ceci est utile dans le cas d'une entité participant plus d'une fois à la même relation.

La population de la relation peut être inscrite au voisinage de la figure représentant la relation.

La représentation graphique est accompagnée, le cas échéant, par une définition, par des explications situant la relation dans le contexte du modèle, et par des exemples (*fig. 2.12*).

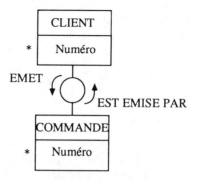

Un CLIENT EMET une COMMANDE =
une COMMANDE EST EMISE PAR un CLIENT

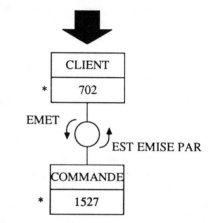

Le CLIENT 702 EMET la COMMANDE 1527 =
la COMMANDE 1527 EST EMISE PAR le CLIENT 702

[FIG 2.11. – *Relation identique énoncée de deux manières différentes.*]

RELATION: FOURNIT

ENONCE: Un fournisseur fournit un produit
                       (Un produit est fourni par un fournisseur)

DEFINITION: Un fournisseur qui "fournit" un produit est un fournisseur
                       reconnu auquel les acheteurs peuvent s'adresser pour
                       se réapprovisionner

EXPLICATIONS: Cette relation ne doit pas être confondue avec la relation
                       "fabrique". Un fournisseur peut fournir un produit
                       sans le fabriquer

EXEMPLE: SONIC fournit le produit 57875, un manuel intitulé "DESSIN"
                       par B. Dick

[FIG 2.12. – *Description d'une relation.*]

2.4. PROPRIÉTÉS

Définition

Une *propriété* est un élément d'information appartenant à la description d'un *objet*, c'est-à-dire d'une entité ou d'une relation (*fig. 2.13 à 2.17*).

Une propriété peut être *explicite* (c'est-à-dire énoncée en toutes lettres) ou dans le cas d'une relation, *implicite* (c'est-à-dire sous-entendue). Une propriété dénote une classe de cas possibles appelée son *domaine* (*fig. 2.13*).

En fait, un domaine peut être considéré de plein droit comme une entité, dont les occurrences sont chacun des cas possibles distingués et dont la population est le nombre de cas possibles, souvent illimité (*fig. 2.14*). Un domaine satisfait en effet toutes les règles de modélisation applicables aux entités.

Une propriété peut donc être considérée comme une association entre un objet du modèle et un domaine, c'est-à-dire comme une manière simplifiée de représenter une relation.

Une propriété définie sur un domaine simple est dite *simple*.

Dans certains cas, on est amené à considérer qu'un groupe de propriétés d'un même objet est une nouvelle propriété dite *composée*. Son domaine résulte de la composition des domaines des propriétés du groupe (*fig. 2.15*).

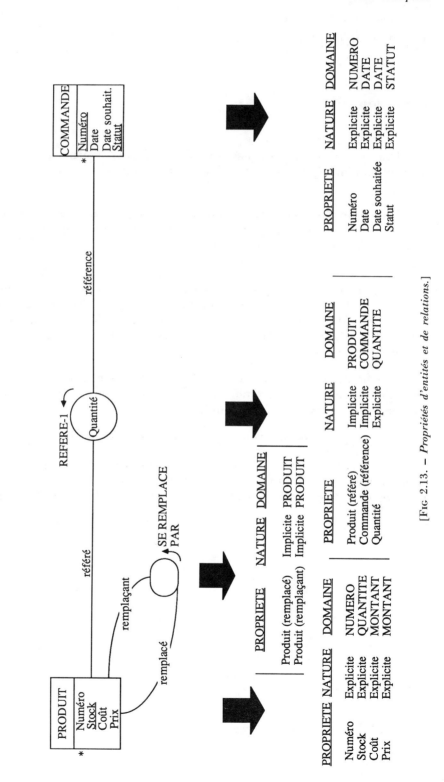

[Fig 2.13. – *Propriétés d'entités et de relations.*]

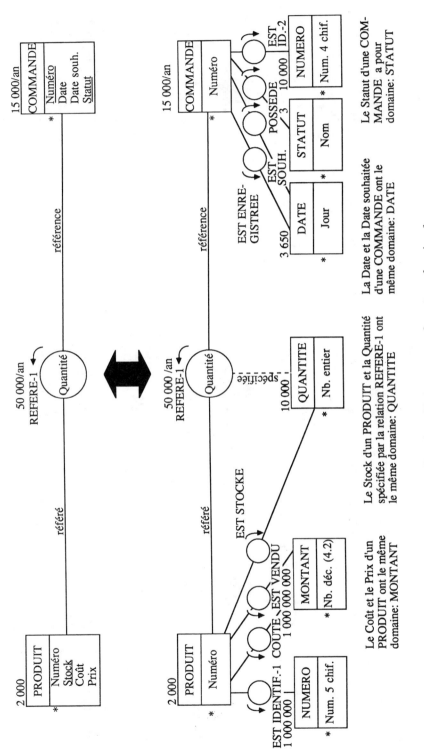

[FIG 2.14. – *Propriétés distinctes ayant les mêmes domaines.*]

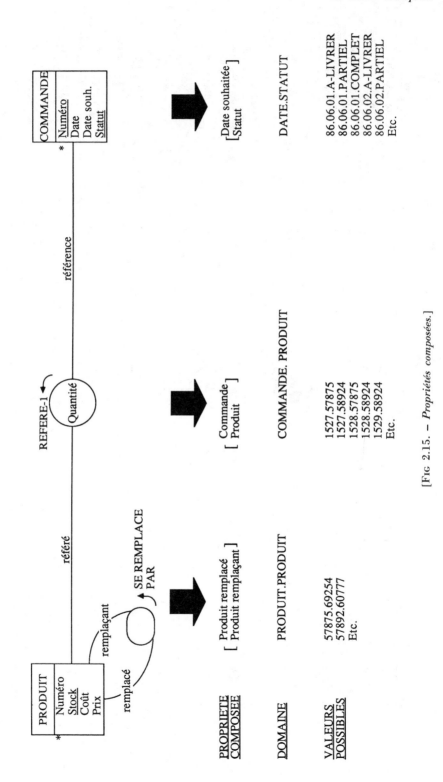

[Fig 2.15. – Propriétés composées.]

Règles de modélisation

0) Les règles suivantes s'appliquent aux propriétés explicites et implicites.

1) Un domaine, et par conséquent une propriété, possèdent au moins deux valeurs distinctes, sans quoi ils n'apporteraient aucune information.

2) Toutes les propriétés d'un même objet sont distinctes les unes des autres. Elles ont souvent des domaines différents. Lorsque certaines d'entre elles possèdent le même domaine, elles dénotent des manières distinctes d'associer ce domaine à cet objet.

3) Les propriétés de deux objets différents sont distinctes les unes des autres. Même si certaines d'entre elles possèdent le même domaine, elles dénotent des associations avec des objets différents.

4) Une entité qui participe à une relation constitue le domaine de la propriété implicite correspondante de la relation.

Représentation

Une propriété porte habituellement le nom de son domaine. Deux propriétés ayant le même domaine utilisent donc habituellement le même nom.

Cependant, si deux propriétés d'une même entité ont le même domaine, il peut être nécessaire de les distinguer, par exemple en ajoutant des qualificatifs appropriés.

Lorsque le contexte l'exige, on distingue des propriétés de même domaine appartenant à des objets différents en les qualifiant du nom de l'objet.

Le nom d'une propriété explicite est inscrit à l'intérieur de l'objet auquel elle appartient. Il n'est généralement pas nécessaire de représenter le domaine de la propriété sous la forme d'une entité.

Le nom d'une propriété implicite d'une relation est formé de la même manière que celui d'une propriété explicite : c'est le nom de l'entité participante, muni le cas échéant d'un qualificatif. Toutefois, il n'est pas utile de l'inscrire à l'intérieur de la relation.

La représentation graphique des propriétés d'un objet est complétée par des définitions et, le cas échéant, par des explications et exemples (*fig. 2.16* et *2.17*).

ENTITE: COMMANDE

DEFINITION DES PROPRIETES:

* Numéro: Numéro d'enregistrement séquentiel des commandes

  Date: Date du jour où la commande est reçue

  Date souhaitée: Date limite de livraison demandée par le client

  Statut: Le statut de la commande indique s'il y a eu des
                 livraisons et s'il reste ou non des quantités à livrer

[FIG 2.16. – *Définition des propriétés d'une entité.*]

RELATION: FOURNIT

DEFINITION DE PROPRIETE EXPLICITE:

Référence: Code utilisé par le fournisseur pour désigner
                son produit

[FIG 2.17. – *Définition de propriété explicite d'une entité.*]

2.5. RÈGLES DE CARDINALITÉ

Définition

Une règle de cardinalité est une règle de traitement qui s'applique à la participation d'une entité à une relation : elle spécifie à combien d'occurrences de la relation une même occurrence de l'entité concernée peut participer (*fig. 2.18* à *2.28*).

Une telle règle précise les limites inférieures et supérieures permises, soit habituellement :

– 0 ou 1 pour la limite inférieure ;
– 1 ou N (pas de limite) pour la limite supérieure.

Ces limites s'appellent les *cardinalités* de la participation (ou de la branche).

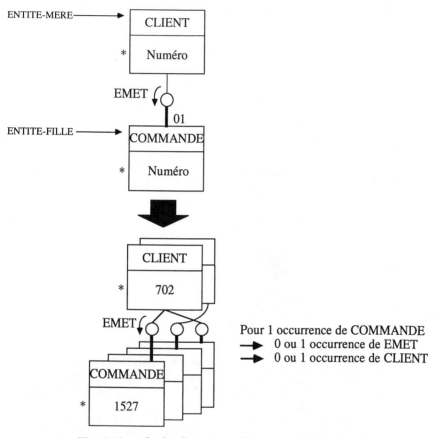

[FIG 2.18. – *Cardinalités 01 : relation quasi-hiérarchique.*]

En outre, il est parfois utile de considérer la *cardinalité moyenne* d'une participation, c'est-à-dire le nombre moyen d'occurrences de la relation à laquelle une même occurrence de l'entité participe. De même, la *cardinalité maximale* d'une participation est le nombre maximal pratique d'occurrences de la relation à laquelle l'entité est susceptible de participer.

Les cardinalités sont des composants essentiels d'un modèle conceptuel : elles contribuent beaucoup à préciser la signification des objets du modèle, en fixant des conditions d'existence de leurs occurrences.

Règles de modélisation

(RC1)   Chaque participation à une relation fait l'objet de deux cardinalités dont les combinaisons sont habituellement 01, 11, 1N ou 0N. D'autres combinaisons sont possibles.

(RC2)   La combinaison 01 (*fig. 2.18*) indique une participation *facultative unique* : une occurrence de l'entité peut ne participer à aucune occurrence de la relation ou à une seule occurrence.

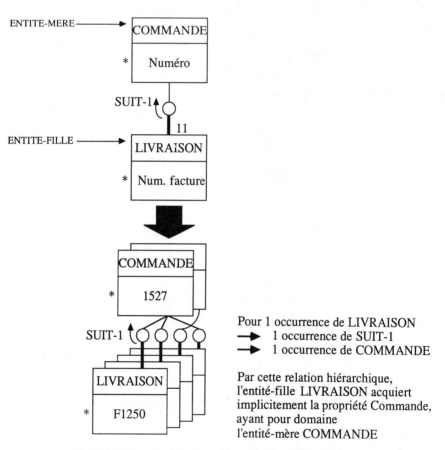

[FIG 2.19. – *Cardinalités 11 : relation hiérarchique.*]

(RC3)   La combinaison 11 (*fig. 2.19*) indique une participation *obligatoire unique* : une occurrence de l'entité doit participer à une occurrence et une seule de la relation.

(RC4)   La combinaison 1N (*fig. 2.20*) indique une participation *obligatoire multiple*. Une occurrence de l'entité doit participer à au moins une occurrence de la relation et peut participer à plusieurs.

C5) La combinaison 0N (*fig. 2.21*) indique une participation *facultative multiple* (ou quelconque) : une occurrence de l'entité peut ne participer à aucune occurrence de la relation ou, au contraire, participer à un nombre quelconque d'occurrences de celle-ci ; en d'autres termes, aucune limite n'est imposée à cette participation.

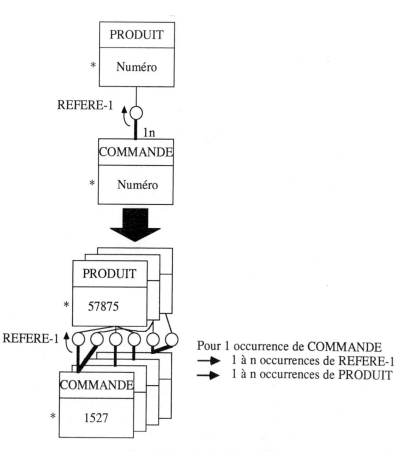

[FIG 2.20. – *Cardinalités 1N.*]

C6) Une même relation peut avoir n'importe quelles sortes de cardinalités pour ses différentes participations : ainsi, toutes les combinaisons des cardinalités 01, 11, 1N et 0N sont permises.

C7) Une relation binaire dont l'une des participations possède des cardinalités 11 est dite *hiérarchique* (*fig. 2.19*). Dans cette relation, l'entité reliée par la participation de cardinalités 11 s'appelle l'*entité-fille*, et l'entité reliée par l'autre participation s'appelle l'*entité-mère*.

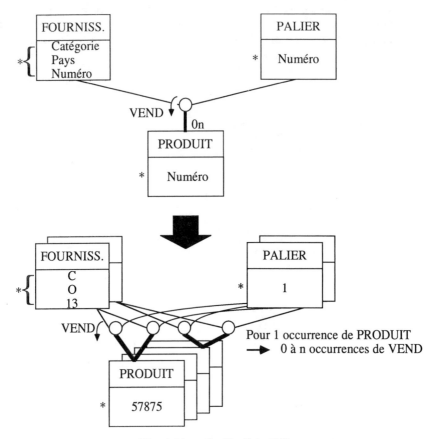

[Fɪɢ 2.21. – *Cardinalités 0N.*]

(RC8)   De la même manière, une relation binaire dont l'une des participations possède des cardinalités 01 est dite *quasi-hiérarchique* (*fig. 2.18*). Dans cette relation, l'entité reliée par la participation de cardinalités 01 est dite l'*entité-fille* et l'entité reliée par l'autre participation s'appelle l'*entité-mère*.

(RC9)   La relation qui existe entre le domaine d'une propriété et l'objet qui possède cette propriété est une relation hiérarchique ; le domaine de la propriété est entité-mère de cette relation (*fig. 2.22*). Inversement, l'entité-fille d'une relation hiérarchique acquiert implicitement une propriété dont le domaine est l'entité-mère (*fig. 2.19*).

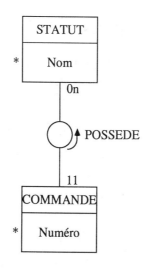

Une COMMANDE POSSEDE un STATUT
unique
A un même STATUT, il correspond un
nombre quelconque de COMMANDES

[FIG 2.22. – *Cardinalités de la relation entre un objet et le domaine*
d'une propriété de l'objet.]

RC10)   La relation qui existe entre le domaine d'un identifiant et l'objet qui possède cet identifiant est une relation 01-11 (*fig. 2.23*).

RC11)   Une relation binaire dont les cardinalités sont 01-01 est une relation d'*affectation facultative* (*fig. 2.24*) : à chaque occurrence d'une des entités participantes, il peut correspondre une occurrence unique de l'autre et inversement.

RC12)   Une relation binaire dont les cardinalités sont 01-11 est une relation d'*affectation obligatoire* (*fig. 2.25*) : à chaque occurrence de la première des deux entités participantes, il peut correspondre une occurrence unique de la deuxième entité. Quant aux occurrences de cette dernière, il leur correspond une occurrence unique de la première entité.

RC13)   Une relation binaire dont les cardinalités sont 11-11 est une relation d'*affectation complète* (*fig. 2.26*). A toute occurrence d'une entité participante, il correspond une occurrence unique de l'autre et inversement.

RC14)   La cardinalité moyenne d'une participation d'une entité à une relation s'obtient en divisant la population de la relation par la population de l'entité (*fig. 2.27*).

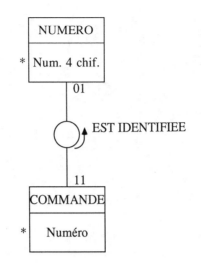

Une COMMANDE possède une valeur unique du
NUMERO qui est son identifiant
A une même valeur de ce NUMERO, il correspond
0 ou 1 COMMANDE

[FIG 2.23. – *Cardinalités de la relation entre un objet et le domaine de son identifiant.*]

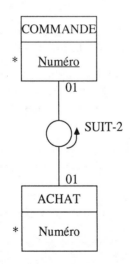

Un ACHAT peut SUIVRE une COMMANDE
unique
Une COMMANDE peut être SUIVIE d'un
ACHAT unique

[FIG 2.24. – *Cardinalités d'une relation d'affectation facultative.*]

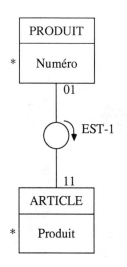

Un ARTICLE EST un PRODUIT unique
Un PRODUIT peut ETRE un ARTICLE unique

[Fig 2.25. – *Cardinalités d'une relation d'affectation obligatoire.*]

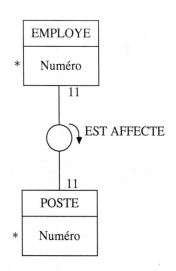

Un POSTE EST AFFECTE à un EMPLOYE unique
Un EMPLOYE EST AFFECTE à un POSTE unique

[Fig 2.26. – *Cardinalités d'une relation d'affectation complète.*]

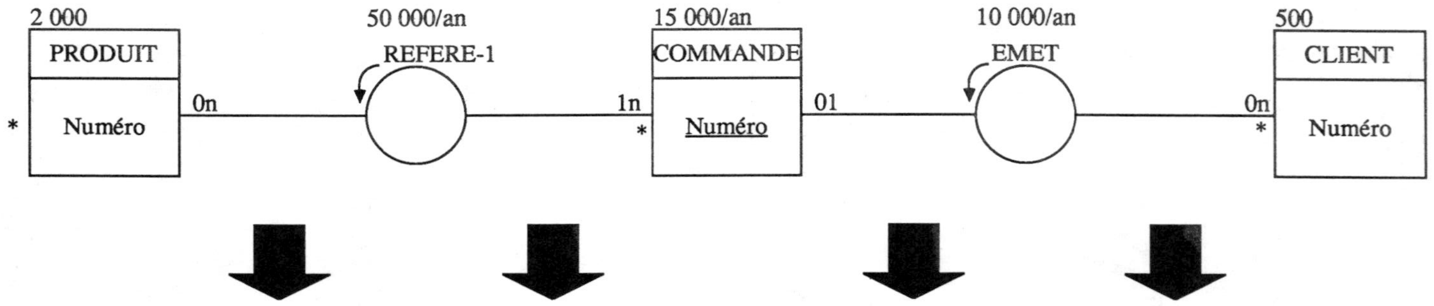

CARDINALITE	NB. DE COMMANDES PAR PRODUIT	NB. DE PRODUITS PAR COMMANDE	NB. DE CLIENTS PAR COMMANDE	NB. DE COMMANDES PAR CLIENT
MINIMUM	0	1	0	0
MOYENNE[*]	25/an	3,33	0,66	20/an
MAXIMUM	1 000/an	20	1	300/an

(*) Cardinalité moyenne = $\dfrac{\text{Population de la relation}}{\text{Population de l'entité}}$

[FIG. 2.27. – *Cardinalités minimum, moyenne et maximum.*]

Représentation

Les cardinalités s'inscrivent le long de la branche à laquelle elles s'appliquent. La règle de cardinalité s'énonce en exprimant que l'entité concernée par cette branche :

- « peut » participer zéro ou une fois à la relation (cardinalités 01) ;

- participe une fois à la relation (cardinalités 11) ;

- « peut » participer zéro ou plusieurs fois à la relation (cardinalités 0N) ;

- participe une ou plusieurs fois à la relation (cardinalités 1N).

Les cardinalités sont expliquées dans la définition des participants de la relation concernée (*fig. 2.28*).

RELATION: FOURNIT

PARTICIPANT		CARDINALITE
FOURNISSEUR:	0	Un fournisseur peut ne fournir aucun produit: il est connu de l'entreprise mais aucun de ses produits n'est reconnu
	N	Un fournisseur peut fournir plusieurs produits
PRODUIT:	1	Tout produit possède au moins un fournisseur reconnu
	N	Un produit peut avoir plusieurs fournisseurs reconnus

[Fɪɢ 2.28. – *Définition des participants et cardinalités d'une relation.*]

2.6. RÈGLES DE TRAITEMENT EXPLICITES

Définition

Une règle de traitement explicite est une règle qui spécifie les conditions d'existence des occurrences des objets du modèle conceptuel et les valeurs possibles de leurs propriétés (*fig. 2.29* à *2.32*) et qui n'est pas exprimée par la structure de ce modèle ni par des règles de cardinalité. Les règles de traitement apportent une information complémentaire indispensable à la signification du modèle conceptuel et peuvent être utilisées pour effectuer certaines déductions quant à ses réalisations possibles.

Elles peuvent être plus ou moins simples ou complexes. Par commodité, on peut distinguer les règles de *domaine* qui s'appliquent à des propriétés individuelles, les règles de *cohérence* et de *calcul* qui s'appliquent à plusieurs propriétés du même objet ou d'objets différents, et les règles d'*existence* qui s'appliquent à des objets.

Règles de modélisation

(RE1)   Une *règle de domaine* (*fig. 2.29*) s'applique à une propriété en particulier et spécifie l'ensemble des valeurs permises pour cette propriété. Chacune des propriétés d'un modèle de données fait l'objet d'une telle règle. Celle-ci peut s'exprimer en indiquant les conditions que la propriété doit respecter, ou en spécifiant la liste des valeurs permises.

OBJET/PROPRIETE	REGLE DE TRAITEMENT
PRODUIT	
Numéro	Formé de 5 chiffres
Stock	= Entier ≥ 0 $< 10\ 000$
Coût	= Montant décimal ≥ 0 $< 1\ 000,00\$$
Prix	= Montant décimal ≥ 0 $< 2\ 000,00\$$
COMMANDE	
Numéro	Formé de 4 chiffres
Date	An.Mois.Jour
Date souhaitée	An.Mois.Jour
Statut	= "A LIVRER"/"PARTIEL" /"COMPLET"
REFERE-1	
Quantité	= Entier ≥ 0 $< 1\ 000$
ETC...	

[FIG 2.29. – *Règles de domaine.*]

RE2)   Une *règle de cohérence* (*fig. 2.30*) s'applique à deux ou plusieurs propriétés et spécifie les combinaisons de valeurs possibles pour celles-ci. Une telle règle peut s'appliquer individuellement à chaque occurrence d'un objet, ou simultanément à plusieurs ou à l'ensemble de ses occurrences, ou encore aux occurrences d'objets différents.

(RE3)   Une *règle de calcul* (*fig. 2.31*) est un cas particulier de règle de cohérence : elle exprime que la valeur d'une certaine propriété se calcule à partir des valeurs d'autres propriétés. Une telle règle introduit une dépendance de la propriété calculée vis-à-vis de la composition des propriétés servant au calcul.

OBJET/PROPRIETE	REGLE DE TRAITEMENT
PRODUIT	
Prix	$\geq$ Coût . (1 + Profit)
COMMANDE	
Date souhaitée	$\geq$ 2 + Date du jour
FOURNISSEUR, VEND, PRODUIT, PALIER	
Quantité	Croît avec le PALIER
Prix	Décroît avec le PALIER
ACHAT, SUIT-2, COMMANDE	
Date d'ACHAT	Si un ACHAT SUIT une COMMANDE: Date d'ACHAT $\geq$ Date de COMMANDE
ETC...	

[FIG 2.30. – *Règles de cohérence.*]

(RE4)   Une *règle d'existence* (*fig. 2.32*) s'applique à un ou plusieurs objets et spécifie dans quelles conditions leurs occurrences peuvent ou doivent coexister. Elle s'exprime habituellement sous la forme d'une condition logique : exclusion, implication, équivalence, etc.

OBJET/PROPRIETE	REGLE DE TRAITEMENT

CLASSE

Taux	$= 0$ si Vente $\leq$ Minimum $=$ Coefficient . (Vente - Minimum) arrondi; maximum de 0,25

LIVRAISON,CONTIENT-1,PRODUIT,
COMMANDE,SUIT-1

Stock après LIVRAISON	$=$ Stock avant LIVRAISON - Quantité de CONTIENT-1
Quantité de CONTIENT-1	$=$ Max (Stock avant LIVRAISON, Quantité de la COMMANDE - Total des Quant. des LIVR. ayant SUIVI la COMM.)
Prix de CONTIENT-1	$=$ Quantité de CONTIENT-1 . Prix de PRODUIT
Montant de LIVRAISON	$=$ Total des Prix de CONTIENT-1 pour la LIVRAISON
SE REMPLACE PAR	Si un PRODUIT a un Stock de 0, on propose au client un PRODUIT par lequel il SE REMPLACE s'il existe

ETC.

[FIG 2.31. – *Règles de calcul.*]

RE5)   De même qu'une règle de calcul permet de définir la valeur d'une nouvelle propriété à partir de celles de d'autres propriétés, une *règle d'équivalence* (*fig. 2.32*) est une règle d'existence qui permet de définir l'occurrence d'un nouvel objet dérivé à partir des occurrences d'autres objets.

RE6)   Une *règle de dépendance* explicite (*fig. 2.32*) est une règle d'existence particulière qui s'applique à un objet et qui spécifie que celui-ci dépend de la combinaison de deux ou plusieurs autres objets.

OBJET/PROPRIETE	REGLE DE TRAITEMENT
PRODUIT,EST-1,ARTICLE, EST-2,MANUEL	Un PRODUIT EST soit un ARTICLE, soit un MANUEL (EXCLUSION)
FOURNISSEUR,FABRIQUE, FOURNIT,PRODUIT	Si un FOURNISSEUR FABRIQUE un PRODUIT, il le FOURNIT (IMPLICATION)
CLIENT,SE CLASSE,CLASSE	Un CLIENT SE CLASSE dans la CLASSE qui correspond à son niveau de Vente pour l'année précédente (IMPLICATION)
LIVRAISON,CONTIENT-1,PRODUIT, COMMANDE,SUIT-1,REFERE-1	
Statut	Si Statut = "A LIVRER", il n'y a aucune LIVRAISON Si Statut = "COMPLET", le total des Quantités de chaque PRODUIT que chaque LIVRAISON CONTIENT est égal à la Quantité à laquelle la COMMANDE REFERE Sinon, Statut = "PARTIEL" (EQUIVALENCE = Définition de la propriété calculée)
RAYON,EST VENDU,REGION	Une occurrence de EST VENDU existe si et seulement s'il existe un CLIENT de la REGION ayant des LIVRAISONS qui CONTIENNENT des PRODUITS du RAYON (EQUIVALENCE = Définition de la relation dérivée EST VENDU)
EMPLOYE,EST RESPONSABLE, RAYON,REGION	Un même RAYON dans une même REGION a au plus un EMPLOYE qui en EST RESPONSABLE (DEPENDANCE de l'EMPLOYE envers la combinaison RAYON.REGION dans la relation EST RESPONSABLE)
ACHAT,CONTIENT-1,PRODUIT, LIGNE,REFERE-2	Dans un même ACHAT, un PRODUIT ne peut être REFERE que par une seule LIGNE (DEPENDANCE de la LIGNE envers la combinaison ACHAT.PRODUIT)
ETC.	

[Fɪɢ 2.32. – *Règles d'existence.*]

Représentation

Les règles de traitement explicites sont présentées séparément. Elles peuvent s'exprimer sous des formes diverses : énoncés, formules mathématiques, conditions logiques, tables de décision, etc. Elles sont regroupées selon les objets et propriétés qu'elles permettent de vérifier, calculer ou dériver.

De plus, les noms des objets dérivés, de même que ceux des propriétés calculées, sont soulignés.

2.7. IDENTIFIANTS

Définition

Selon ce qui a été vu à propos des entités et relations, l'identifiant d'un objet du modèle conceptuel est un groupe minimal de propriétés de cet objet dont les valeurs permettent de distinguer les occurrences (*fig. 2.33 à 2.52*).

Les identifiants sont une composante fondamentale d'un modèle conceptuel. Ils caractérisent complètement la structure du modèle : de fait, les valeurs de toutes les propriétés du modèle dépendent uniquement des valeurs des identifiants, dans les limites permises par les règles de cardinalité et les règles de traitement explicites.

Les règles de modélisation décrites plus haut au sujet des identifiants des objets du modèle conceptuel sont rassemblées dans la règle (FN1) qui suit et complétées par les règles (FN2), (FN3) et (FN3'). Ces règles, ainsi que d'autres règles plus élaborées non exposées ici, sont les *règles de normalisation*, du nom que leur a donné E.F. Codd. Elles permettent de représenter une même réalité sous une forme stable indépendante de l'usage que l'on en fait.

D'autres règles permettent de construire des identifiants à partir des objets et règles de traitement impliqués. Ce sont les *règles de construction* d'identifiants.

Règles de modélisation

Normalisation

FN1)   Tout objet possède un identifiant tel qu'à chaque valeur de l'identifiant, il correspond au plus une occurrence de l'objet avec une valeur unique de chacune de ses propriétés.

Les objets respectant la règle (FN1) sont dits en *première forme normale*.

L'identifiant d'une entité peut être simple (*fig. 2.33*) ou composé (*fig. 2.34*). Occasionnellement une entité peut avoir plus d'un identifiant (*fig. 2.35*). En ce cas, à chaque valeur de l'un correspond une valeur unique de l'autre et inversement.

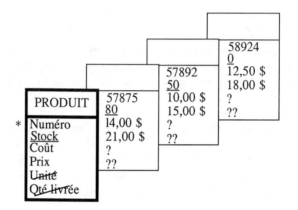

Pour 1 valeur existante de Numéro
➤ 1 occurrence de PRODUIT
➤ 1 valeur de chaque propriété

Par exemple 57875 ➤ 57875,80,14,00$,21,00$
           57900 ➤ rien
           58924 ➤ 58924,0,12,50$,18,00$

La propriété Unité, facultative, est exclue
La propriété Quantité livrée, répétitive, est exclue

[Fɪɢ 2.33. – *Entité avec identifiant simple.*]

De la même manière, l'identifiant d'une relation peut être simple (*fig. 2.36*) ou composé (*fig. 2.37*). L'identifiant d'une relation est toujours construit à partir de ses propriétés implicites. Occasionnellement, une relation peut avoir un autre identifiant (*fig. 2.38*).

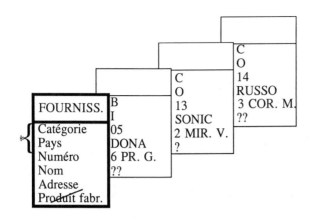

Pour 1 combinaison existante de valeurs de Catégorie, Pays, Numéro
➤1 occurrence de FOURNISSEUR
➤1 valeur de chaque propriété

Par exemple B.I.05 ➤ B,I,05,DONA,6 PROMENADE GENEVE
B.I.06 ➤ rien
C.A.13 ➤ rien
C.O.13 ➤ C,O,13,SONIC,2 MIRADOR VALENCE

La propriété Produit fabriqué, répétitive, est exclue

[FIG 2.34. – *Entité avec identifiant composé.*]

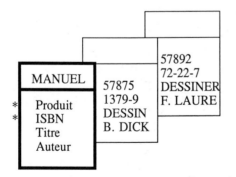

L'identifiant de MANUEL est Produit
Un autre identifiant est le numéro international ISBN
Pour 1 valeur de Produit décrivant un MANUEL
◄━━━► 1 valeur d'ISBN et inversement

Par exemple 57875 ◄━━━► 1379-9
57892 ◄━━━► 72-22-7

[FIG 2.35. – *Entité avec plus d'un identifiant.*]

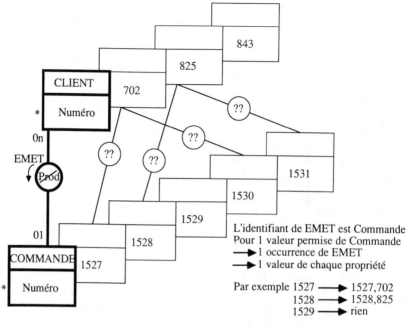

L'identifiant de EMET est Commande
Pour 1 valeur permise de Commande
➤ 1 occurrence de EMET
➤ 1 valeur de chaque propriété

Par exemple 1527 ➤ 1527,702
1528 ➤ 1528,825
1529 ➤ rien

La propriété Produit, répétitive, est exclue

[FIG 2.36. – *Relation binaire avec identifiant simple.*]

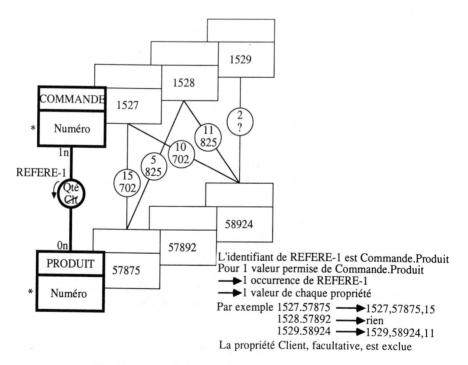

L'identifiant de REFERE-1 est Commande.Produit
Pour 1 valeur permise de Commande.Produit
➤ 1 occurrence de REFERE-1
➤ 1 valeur de chaque propriété
Par exemple 1527.57875 ➤ 1527,57875,15
1528.57892 ➤ rien
1529.58924 ➤ 1529,58924,11
La propriété Client, facultative, est exclue

[FIG 2.37. – *Relation binaire avec identifiant composé.*]

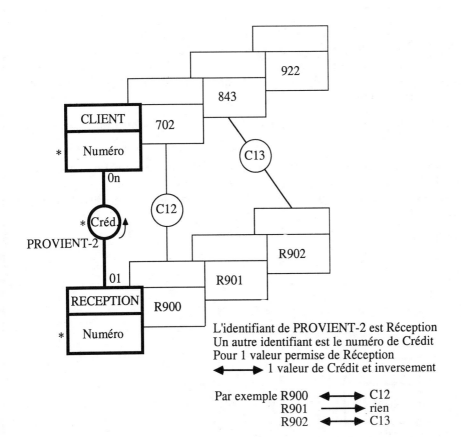

L'identifiant de PROVIENT-2 est Réception
Un autre identifiant est le numéro de Crédit
Pour 1 valeur permise de Réception
   ◄   ► 1 valeur de Crédit et inversement

Par exemple   R900 ◄ ► C13
R901   ► rien
R902 ◄ ► C13

[FIG 2.38. – *Relation binaire avec plus d'un identifiant.*]

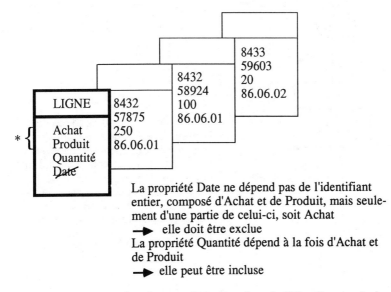

La propriété Date ne dépend pas de l'identifiant
entier, composé d'Achat et de Produit, mais seulement d'une partie de celui-ci, soit Achat
   ► elle doit être exclue
La propriété Quantité dépend à la fois d'Achat et
de Produit
   ► elle peut être incluse

[FIG 2.39. – *Entité dont les propriétés dépendent de l'identifiant entier.*]

(FN2)   Chacune des propriétés d'un objet ne faisant pas partie de l'identifiant dépend de *l'identifiant entier*. En d'autres termes, l'identifiant ne peut pas être décomposé de manière à ce que des propriétés dépendent seulement d'une partie de celui-ci (à moins d'en faire elles-mêmes partie).

Les objets respectant les règles (FN1) et (FN2) sont dits en *deuxième forme normale*.

En conséquence, toutes les propriétés d'une entité dépendent de l'identifiant entier (*fig. 2.39*). De même, les propriétés explicites et implicites d'une relation dépendent de l'identifiant entier (*fig. 2.40*).

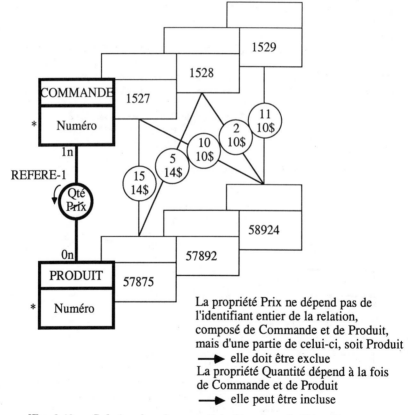

[FIG 2.40. – *Relation dont les propriétés dépendent de l'identifiant entier.*]

N3)   Chacune des propriétés d'un objet ne faisant pas partie de l'identifiant dépend directement de celui-ci. En d'autres termes, il n'existe pas de propriété intermédiaire, ni de groupe de propriétés intermédiaires, dont la propriété en question dépende.

Les objets respectant les règles (FN1) à (FN3) sont dits en *troisième forme normale*.

En conséquence, les propriétés d'une entité dépendent directement de son identifiant (*fig. 2.41*). De même, les propriétés explicites et implicites d'une relation dépendent directement de son identifiant (*fig. 2.42*).

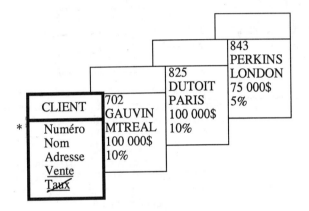

La propriété Taux ne dépend pas directement du Numéro de CLIENT: elle en dépend par l'intermédiaire de Vente

➤ elle doit être exclue de même que Vente
Les autres propriétés dépendent directement du Numéro de CLIENT

➤ elles peuvent être incluses

[FIG 2.41. – *Entité dont les propriétés dépendent directement de l'identifiant.*]

FN3')   Les seules propriétés dont d'autres propriétés dépendent sont les identifiants.

Les objets respectant la règle (FN3') sont dits en *troisième forme normale de Boyce-Codd*.

En pratique, cette règle résume les trois précédentes, bien qu'elle soit plus restrictive dans le cas d'objets contenant plus d'un identifiant.

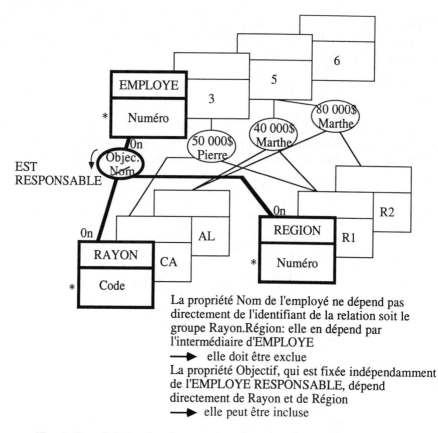

La propriété Nom de l'employé ne dépend pas
directement de l'identifiant de la relation soit le
groupe Rayon.Région: elle en dépend par
l'intermédiaire d'EMPLOYE
➤ elle doit être exclue
La propriété Objectif, qui est fixée indépendamment
de l'EMPLOYE RESPONSABLE, dépend
directement de Rayon et de Région
➤ elle peut être incluse

[FIG 2.42. – *Relation dont les propriétés dépendent directement de l'identifiant.*]

Construction

(I1)   Lorsqu'une entité est l'entité-fille d'une relation hiérarchique, elle
acquiert une propriété implicite, obligatoire et unique, qui a pour domaine
l'entité-mère (règle (RC9)).

Cette propriété peut être utilisée pour construire l'identifiant
de l'entité-fille. Elle doit être alors indiquée sous une forme explicite
(*fig. 2.43*).

Lorsque, en outre, la relation hiérarchique est une relation
d'affectation obligatoire, cette propriété peut constituer à elle seule
l'identifiant de l'entité-fille (*fig. 2.44*). Cette entité est dite *faible* pour
indiquer que son existence est subordonnée à l'existence de l'entité-mère.

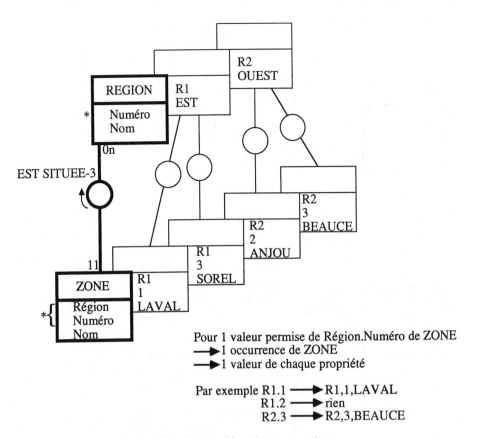

Pour 1 valeur permise de Région.Numéro de ZONE
➤ 1 occurrence de ZONE
➤ 1 valeur de chaque propriété

Par exemple R1.1 ➤ R1,1,LAVAL
R1.2 ➤ rien
R2.3 ➤ R2,3,BEAUCE

[FIG 2.43. – *Identifiant construit
pour une entité-fille d'une relation hiérarchique.*]

Par contre, cette méthode de construction d'identifiant n'est pas
applicable aux relations quasi-hiérarchiques (incluant les relations d'affectation facultative) car l'entité-mère donne lieu à une propriété implicite
facultative de l'entité-fille : ceci n'est pas permis et, de plus, un identifiant
ne saurait être facultatif.

Elle n'est habituellement pas utilisée non plus pour les relations
d'affectation complète : chaque entité participante possède son individua-
lité propre, marquée par un identifiant distinct.

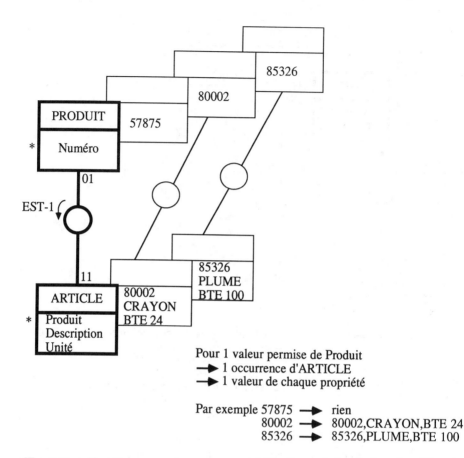

[Fig 2.44. – *Identifiant construit pour une entité-fille d'une relation d'affectation obligatoire.*]

(I2)   Lorsqu'il existe une hiérarchie, c'est-à-dire une suite de relations hiérarchiques telles que l'entité-fille de l'une soit entité-mère de la suivante, les identifiants de ces entités peuvent être construits de proche en proche, par extension de l'identifiant de l'entité-ancêtre de la hiérarchie (*fig. 2.45*).

C'est le principe utilisé dans les systèmes de classification décimale et dans les bases de données hiérarchiques.

(I3)   Lorsqu'une même entité est entité-fille de plusieurs entités-mères différentes, chacune de celles-ci peut faire partie de l'identifiant de l'entité-fille (*fig. 2.46*).

(I4)   L'identifiant d'une entité qui dépend de la combinaison de deux ou plusieurs autres entités est formé en combinant ces autres entités (*fig. 2.47*). Une telle entité est en réalité une relation déguisée.

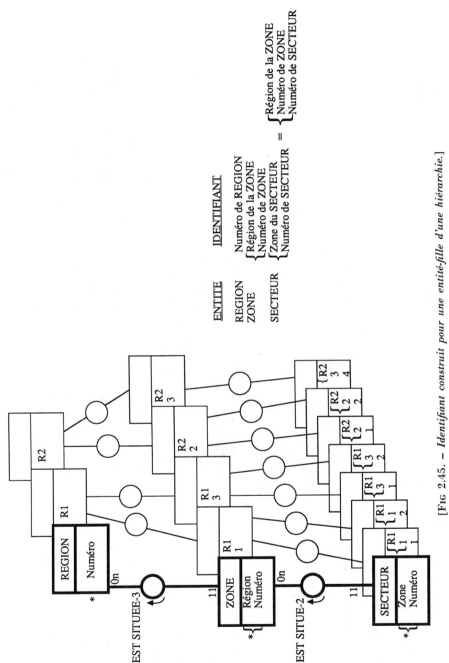

[Fɪɢ 2.45. – *Identifiant construit pour une entité-fille d'une hiérarchie.*]

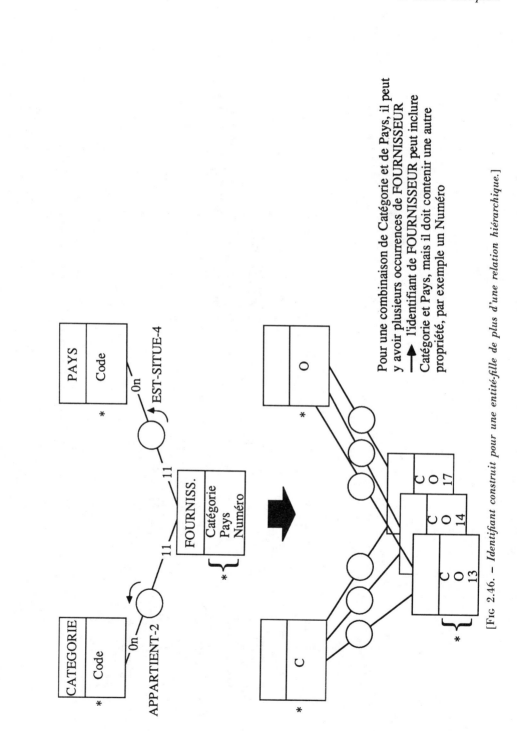

[FIG 2.46. – *Identifiant construit pour une entité-fille de plus d'une relation hiérarchique.*]

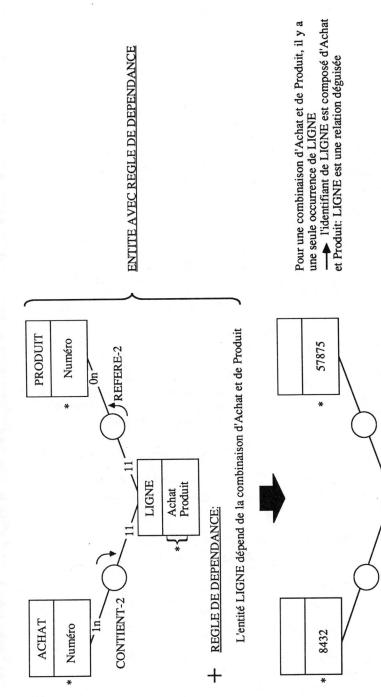

ENTITE AVEC REGLE DE DEPENDANCE

REGLE DE DEPENDANCE:

L'entité LIGNE dépend de la combinaison d'Achat et de Produit

Pour une combinaison d'Achat et de Produit, il y a une seule occurrence de LIGNE l'identifiant de LIGNE est composé d'Achat et Produit: LIGNE est une relation déguisée

[FIG 2.47. – *Identifiant construit pour une entité dépendante de la combinaison d'autres entités.*]

(I5)   L'identifiant d'une relation hiérarchique (ou quasi-hiérarchique) est constitué par la propriété implicite qui désigne l'entité-fille (*fig. 2.48* et *2.49*).

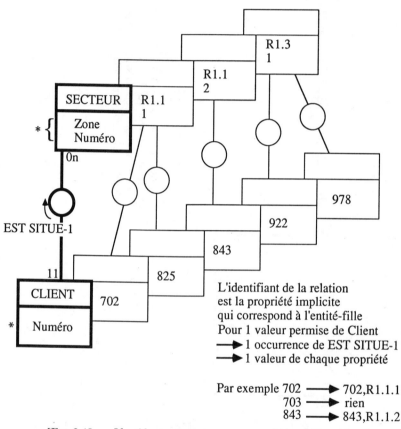

[FIG 2.48. – *Identifiant construit pour une relation hiérarchique.*]

(I6)   L'identifiant d'une relation où l'un des participants dépend d'autres participants exclut la propriété implicite qui correspond à ce participant (*fig. 2.50*).

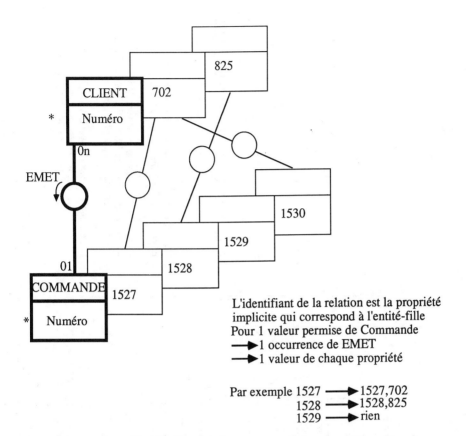

L'identifiant de la relation est la propriété
implicite qui correspond à l'entité-fille
Pour 1 valeur permise de Commande
➤1 occurrence de EMET
➤1 valeur de chaque propriété

Par exemple 1527 ➤1527,702
1528 ➤1528,825
1529 ➤rien

[FIG 2.49. – *Identifiant construit pour une relation quasi-hiérarchique.*]

7)   L'identifiant d'une relation ne possédant que des cardinalités 0N ou
1N est formé par le groupe de ses propriétés implicites (*fig. 2.51*). Une
telle relation est dite *dépendante de tous ses participants*.

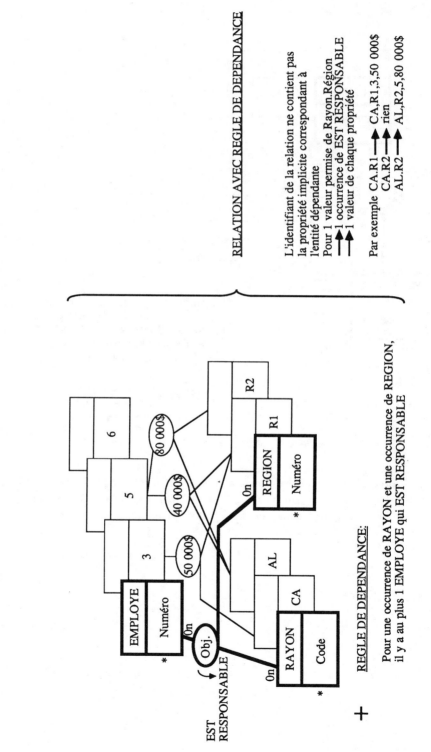

RELATION AVEC REGLE DE DEPENDANCE

L'identifiant de la relation ne contient pas
la propriété implicite correspondant à
l'entité dépendante

Pour 1 valeur permise de Rayon.Région
1 occurrence de EST RESPONSABLE
1 valeur de chaque propriété

Par exemple CA.R1 ➜ CA,R1,3,50 000$
             CA.R2 ➜ rien
             AL.R2 ➜ AL,R2,5,80 000$

REGLE DE DEPENDANCE:

Pour une occurrence de RAYON et une occurrence de REGION,
il y a au plus 1 EMPLOYE qui EST RESPONSABLE

EST
RESPONSABLE

[FIG 2.50. – *Identifiant construit pour une relation où l'un des participants dépend des autres.*]

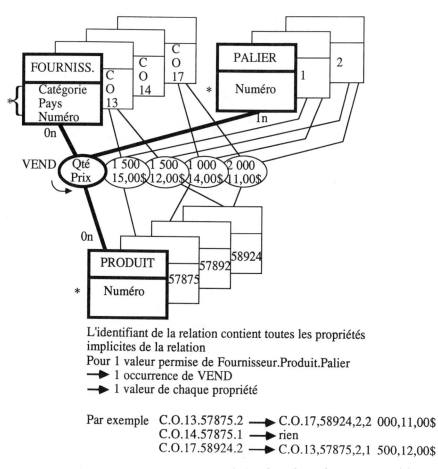

L'identifiant de la relation contient toutes les propriétés
implicites de la relation
Pour 1 valeur permise de Fournisseur.Produit.Palier
→ 1 occurrence de VEND
→ 1 valeur de chaque propriété

Par exemple   C.O.13.57875.2 → C.O.17,58924,2,2 000,11,00\$
               C.O.14.57875.1 → rien
               C.O.17.58924.2 → C.O.13,57875,2,1 500,12,00\$

[Fɪɢ 2.51. – *Identifiant construit pour une relation dépendante de tous ses participants.*]

Représentation

L'identifiant d'une entité se représente en marquant d'un astérisque
le groupe de propriétés dont il se compose.

L'identifiant d'une relation n'est pas représenté dans le diagramme
entité-relation car il se déduit de l'examen de la relation, de ses
cardinalités et des règles de dépendance qui peuvent exister. Il peut
se représenter par un astérique dans la définition des participants de
la relation (*fig. 2.52*).

RELATION: EST RESPONSABLE

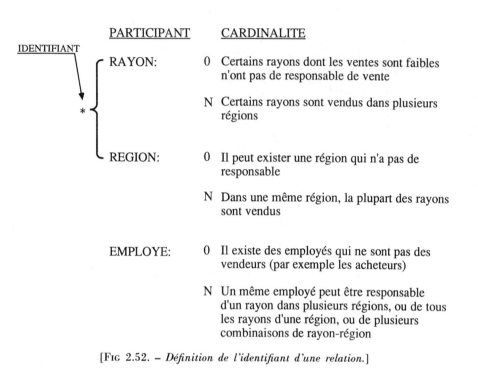

PARTICIPANT   CARDINALITE

IDENTIFIANT

RAYON: 0   Certains rayons dont les ventes sont faibles n'ont pas de responsable de vente

                N   Certains rayons sont vendus dans plusieurs régions

*

REGION: 0   Il peut exister une région qui n'a pas de responsable

                N   Dans une même région, la plupart des rayons sont vendus

EMPLOYE: 0   Il existe des employés qui ne sont pas des vendeurs (par exemple les acheteurs)

                N   Un même employé peut être responsable d'un rayon dans plusieurs régions, ou de tous les rayons d'une région, ou de plusieurs combinaisons de rayon-région

[FIG 2.52. – *Définition de l'identifiant d'une relation.*]

3. Transformations et vues

> « Nous nous heurtons donc toujours au problème de la
> similitude-dans-la-différence *et à la question :*
> Quand deux choses sont-elles identiques ?
> D. HOFSTADTER, *Gödel, Escher, Bach.*

Ce chapitre analyse les mécanismes qui permettent de passer d'un modèle conceptuel, par nature global, à des « vues » plus ou moins locales, ainsi que les mécanismes inverses. Cette notion de vue (ou de modèle externe) existe dans MERISE mais on présente ici une catégorisation des « transformations » qui les produisent, selon des concepts analogues à ceux de l'approche relationnelle, sans prétendre à la même rigueur. Il s'agit d'abord d'expliciter une démarche que bien des modélisateurs utilisent plus ou moins intuitivement. Un analyste moins expérimenté, quant à lui, se pose constamment des questions sur la « bonne » manière de représenter une situation : doit-il plutôt utiliser une entité, une relation, plusieurs entités ? Ce chapitre lui offre une série d'exemples afin de l'aider à reconnaître si des représentations sont équivalentes, à se familiariser avec des représentations qui ne sont pas normales et à savoir quoi faire afin de les normaliser. Après avoir pris connaissance du chapitre, le lecteur est convié à examiner d'un œil critique le modèle du chapitre 1, à discuter les choix de modélisation proposés (qui ne sont pas forcément les meilleurs) et à en imaginer d'autres.

Outre l'objectif de faciliter l'apprentissage de la modélisation conceptuelle, ce chapitre propose un mode de visualisation utilisable pour décrire un système aux plans logique et physique. Les notions de vues et de transformations réapparaîtront dans les chapitres suivants, où elles permettront d'interpréter non seulement les dépôts et les flux, mais aussi les fonctions.

3.1. DÉFINITION

Une *transformation* est une opération qui produit un nouveau modèle à partir d'un ou de plusieurs modèles existants.

Outre les transformations d'équivalence qui ne changent que l'apparence d'un modèle, sans ajouter ni retrancher à son contenu, il existe deux grandes familles de transformations qui sont en quelque sorte inverses les unes des autres : les dérivations et les intégrations (*fig. 3.1*).

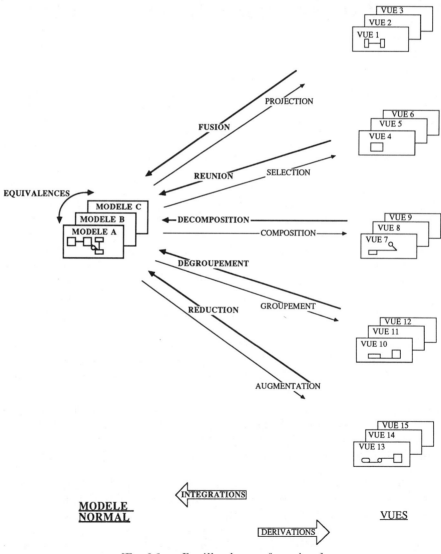

[Fig 3.1. – *Familles de transformations.*]

Les opérations de *dérivation* partent d'un modèle existant (ou d'une partie de celui-ci) et le présentent sous une forme nouvelle. Le résultat, qui est appelé une *vue* (ou modèle externe), est une conséquence du modèle d'origine mais ne contient pas à proprement parler de réalité nouvelle. Dans un système, une vue correspond souvent au contenu d'un document ou d'un fichier. Les opérations de dérivation sont donc reliées à la modélisation logique d'un système.

Les opérations *d'intégration* partent au contraire de vues et cherchent à retrouver un modèle sous-jacent qui puisse être à leur origine. Alors que les dérivations sont des opérations déductives, les intégrations sont des opérations constructives, plus difficiles puisqu'on part de modèles différents et parcellaires, qu'il faut intégrer dans un modèle unique. Les opérations d'intégration sont reliées à la modélisation conceptuelle d'un domaine, et en constituent l'essentiel.

Un modèle qui respecte les règles de modélisation du chapitre 2, notamment celles sur les identifiants, est dit *normal* ; tout objet du modèle représente un objet élémentaire de la réalité ; chaque propriété représente un fait élémentaire sur cet objet, et seulement sur cet objet. En d'autres termes, *dans un modèle normal, chaque fait élémentaire apparaît dans le modèle, une fois et une seule, et au bon endroit.* Cette qualité, appelée *non-redondance*, facilite la modélisation logique d'un système en donnant une vision concise et précise de celui-ci, et en simplifiant les fonctions de mise à jour.

Par contre, les vues dérivées d'un modèle conceptuel ne sont généralement pas normales et lorsqu'on doit se fier aux flux d'un système existant pour concevoir le modèle conceptuel, il est nécessaire d'éliminer la redondance qui existe entre et à l'intérieur de ceux-ci, pour remonter au modèle normal dont ils sont en principe issus. Pour cette raison, les opérations d'intégration sont souvent appelées des opérations de normalisation.

3.2. ÉQUIVALENCES

E0) Les opérations *d'équivalence* transforment un modèle normal en un autre modèle normal de même signification. Elles peuvent être exécutées dans les deux sens. Lorsque deux modèles sont équivalents, la représentation la plus simple est préférable. Mais il existe des cas où celle-ci ne permet pas d'exprimer toutes les relations ou propriétés considérées. Il convient alors de rechercher un modèle équivalent le permettant. Celui-ci comprend généralement plus d'entités.

E1) Une relation est équivalente à une entité et un ensemble de relations hiérarchiques la reliant aux entités participantes (*fig. 3.2*). L'entité a les

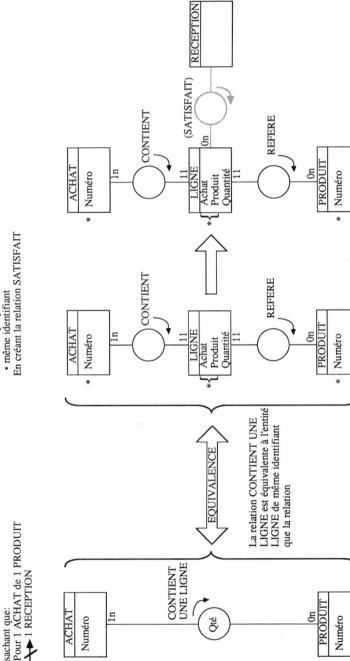

[Fig 3.2. – *Équivalence entre une relation et une entité.*]

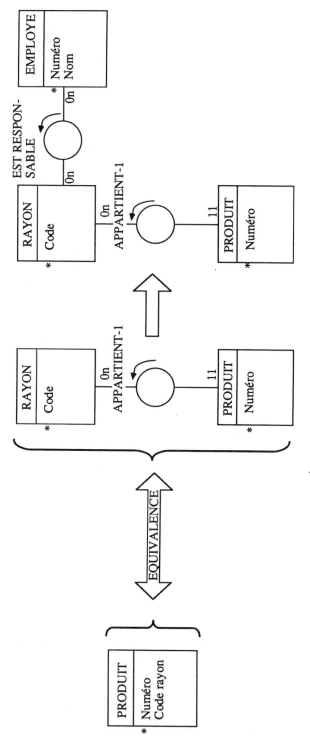

QUESTION:

Comment exprimer le fait qu'un EMPLOYE EST RESPONSABLE d'un Rayon?

REPONSE:

En représentant la propriété Rayon sous la forme équivalente de l'entité RAYON reliée à PRODUIT par une relation hiérarchique

En créant la relation EST RESPONSABLE

[Fig 3.3. – *Équivalence entre une propriété d'une entité et une relation hiérarchique.*]

mêmes propriétés que la relation de départ. De plus, elle a le même identifiant que la relation de départ. Inversement, une entité dont l'identifiant est un groupe de propriétés est équivalente à une relation entre les domaines de ces propriétés.

(OE2)   Une propriété d'une entité est équivalente à une relation hiérarchique entre cette entité et le domaine de la propriété (*fig. 3.3*).

(OE3)   Une propriété d'une relation est équivalente à une participation supplémentaire munie d'une règle de dépendance envers la combinaison des autres entités participantes (*fig. 3.4*).

(OE4)   Une propriété d'une relation hiérarchique peut être attribuée de façon équivalente à l'entité-fille (*fig. 3.5*).

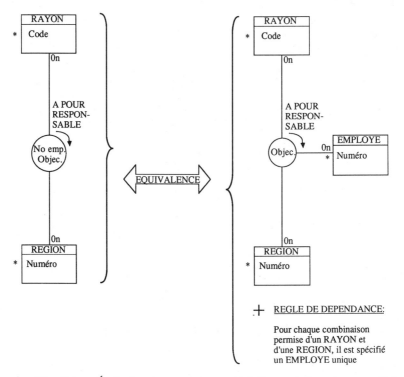

[FIG 3.4. – *Équivalence entre une propriété d'une relation et une participation supplémentaire munie d'une règle de dépendance.*]

)E5) Une règle de traitement peut donner lieu à une relation (*fig. 3.6*).

)E6) Un modèle équivalent à un modèle normal est généralement normal.

QUESTION:

Peut-on simplifier ce
modèle?

REPONSE:

Oui, en utilisant la représentation
équivalente où Quantité est une
propriété de l'entité LIGNE

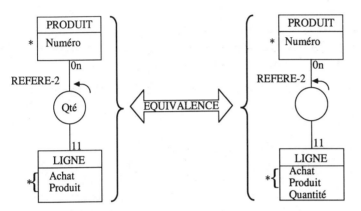

[FIG 3.5. – *Équivalence entre une propriété d'une relation hiérarchique et d'une entité-fille.*]

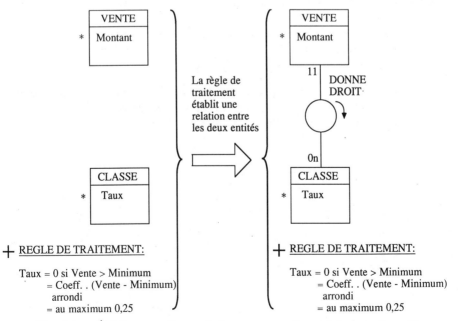

[FIG 3.6. – *Établissement d'une relation au moyen d'une règle de traitement.*]

3.3. DÉRIVATIONS

Projections

(OP0)   Les opérations de *projection* isolent des parties de modèle. Elles permettent de vérifier un modèle global en vérifiant chacune de ses parties.

(OP1)   Une projection d'un objet (*fig. 3.7*) s'obtient en éliminant des propriétés de cet objet. Les occurrences et la population du nouvel objet sont les mêmes que celles de l'objet d'origine.

(OP2)   Une projection d'un modèle (ou *sous-modèle*) s'obtient en éliminant certains objets et propriétés et les règles de traitement (de cardinalité, ou explicites) qui les concernent (*fig. 3.8*).

(OP3)   Le *modèle des propriétés primaires* (*fig. 3.9*) est le sous-modèle qui s'obtient en éliminant tous les objets dérivés et toutes les propriétés calculées (excepté les identifiants calculés) ainsi que les règles de traitement qui les définissent. Ce sous-modèle contient tous les faits primaires décrits par le modèle d'origine et il ne peut être réduit sans perdre d'information.

(OP4)   Le *modèle des identifiants* (*fig. 3.10*) est le sous-modèle qui s'obtient en éliminant du modèle des propriétés primaires toutes les propriétés qui ne font pas partie d'identifiants, ainsi que les règles de traitement correspondantes. Ce sous-modèle décrit la structure fondamentale du modèle d'origine, à laquelle tous les faits intéressant le système peuvent être rattachés.

(OP5)   Une vue obtenue par projection d'un modèle normal est généralement normale, à condition que chaque objet retenu conserve son identifiant. Si c'est le cas, les cardinalités ne changent pas.

Cette représentation contient toutes
les propriétés des objets considérés
Elle est complète

Cette projection contient seulement
des propriétés qui intéressent le suivi
des commandes

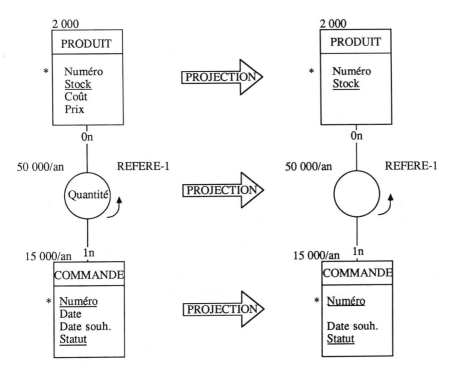

[Fɪɢ 3.7. – *Projection d'un objet.*]

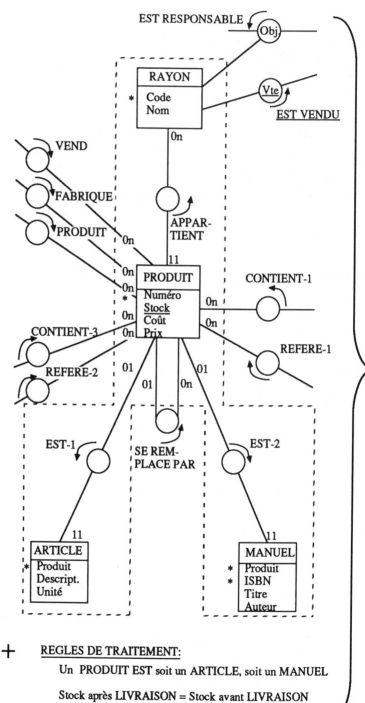

EST RESPONSABLE

RAYON
* Code
  Nom

EST VENDU

VEND

FABRIQUE

PRODUIT

APPAR-
TIENT

PRODUIT
* Numéro
  Stock
  Coût
  Prix

CONTIENT-1

CONTIENT-3

REFERE-2

REFERE-1

EST-1

SE REM-
PLACE PAR

EST-2

ARTICLE
* Produit
  Descript.
  Unité

MANUEL
* Produit
** ISBN
   Titre
   Auteur

REGLES DE TRAITEMENT:

Un PRODUIT EST soit un ARTICLE, soit un MANUEL

Stock après LIVRAISON = Stock avant LIVRAISON
                              - Quantité de la LIVRAISON
Etc.

[Fig 3.8. – *Projection:*

Cette projection permet d'étudier la partie
d'un modèle qui intéresse l'édition d'un
catalogue général

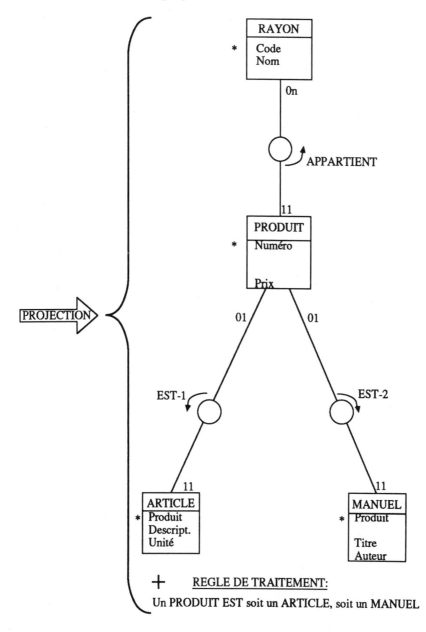

PROJECTION

RAYON
* Code
Nom

0n

APPARTIENT

11

PRODUIT
* Numéro

Prix

01   01

EST-1   EST-2

11   11

ARTICLE   MANUEL
* Produit   * Produit
Descript.
Unité   Titre
               Auteur

+   REGLE DE TRAITEMENT:
Un PRODUIT EST soit un ARTICLE, soit un MANUEL

sous-modèle.]

DISTRIBUTION DE MATERIEL

Le modèle des propriétés primaires met en évidence les données de base du modèle conceptuel

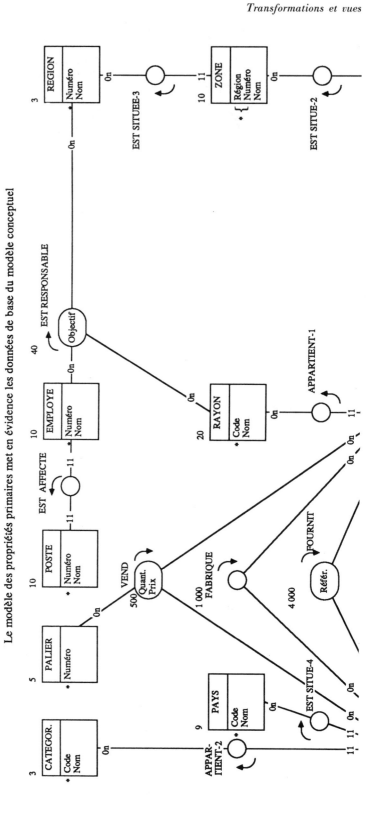

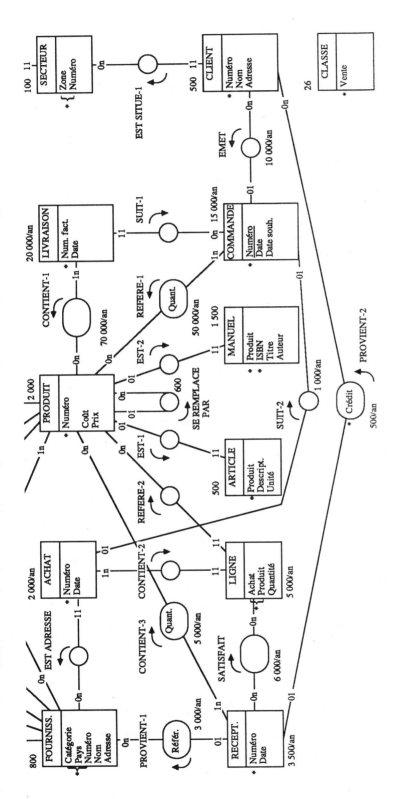

[Fig 3.9. – *Projection : modèle des propriétés primaires.*]

DISTRIBUTION DE MATERIEL

Le modèle des identifiants met en évidence la structure fondamentale du modèle conceptuel

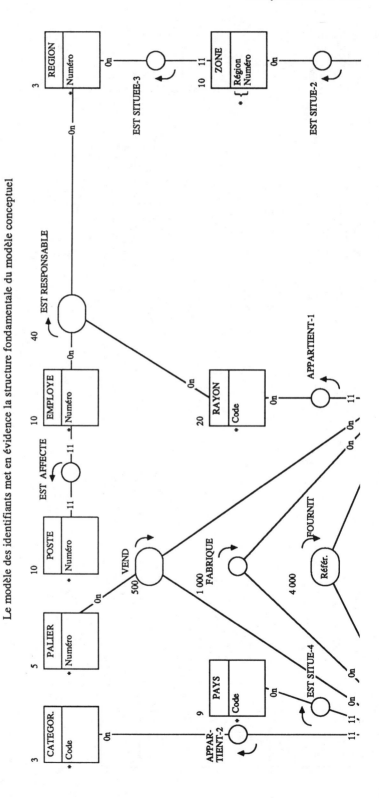

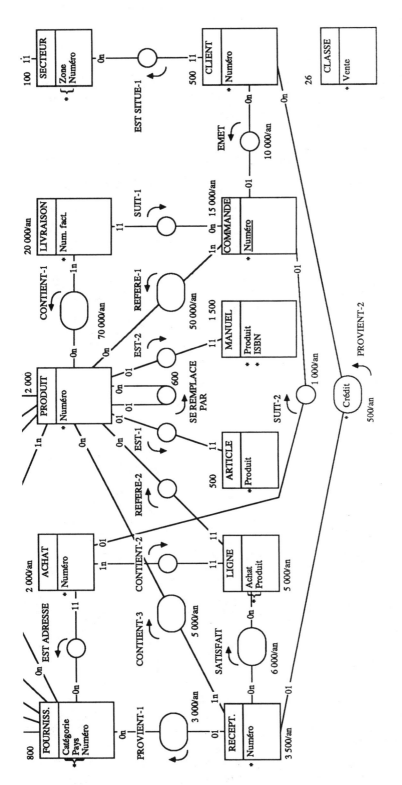

[Fig 3.10. – *Projection : modèle des identifiants.*]

Sélections

(OS0)   Les opérations de *sélection* limitent le contexte d'application d'un modèle. Elles permettent de vérifier un modèle global, en vérifiant son interprétation dans divers contextes plus restrictifs.

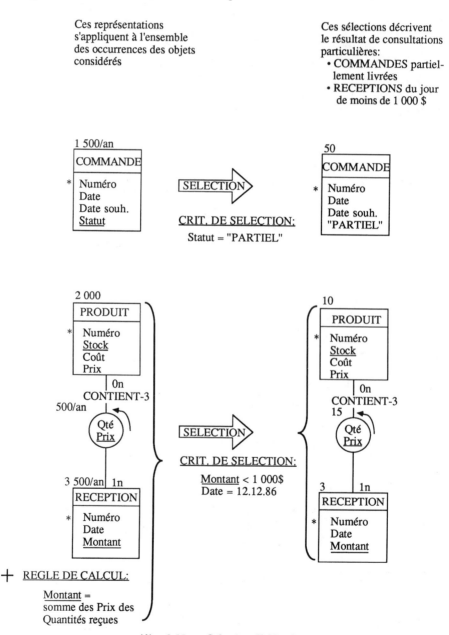

[FIG 3.11. – *Sélection d'objets.*]

S1)   Une sélection d'un objet (*fig. 3.11*) s'obtient en sélectionnant les occurrences qui satisfont une règle de traitement, appelée *critère de sélection*. L'objet obtenu a les mêmes propriétés que l'objet d'origine mais sa population est plus petite.

S2)   Un ensemble de sélections d'un même objet basé sur les valeurs différentes d'un même critère de sélection fournit plusieurs objets dérivés dont les populations s'ajoutent pour former la population initiale. Chacun de ces objets est appelé *spécialisation* de l'objet de départ selon le critère de sélection utilisé.

S3)   Les spécialisations d'une entité sont des entités (*fig. 3.12* et *3.13*). Les spécialisations d'une relation sont des relations ayant les mêmes entités participantes ou une partie des entités participantes (*fig. 3.14*).

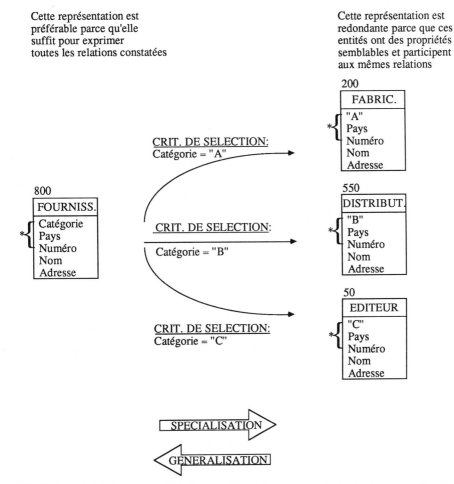

[FIG 3.12. – *Spécialisation et généralisation d'entité : cas où la généralisation est préférable.*]

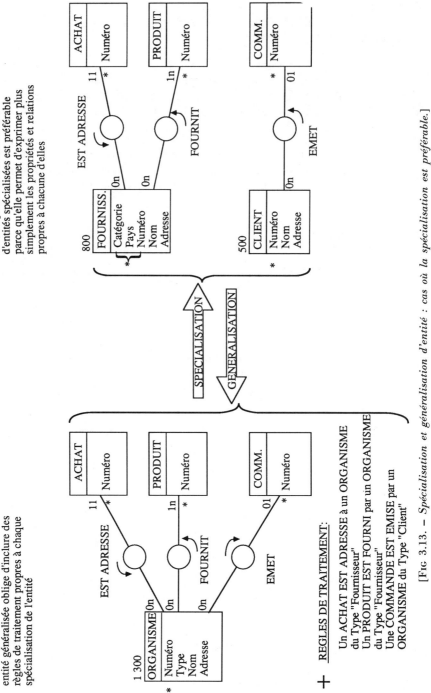

Cette représentation sous forme d'entité généralisée oblige d'inclure des règles de traitement propres à chaque spécialisation de l'entité

Cette représentation sous forme d'entités spécialisées est préférable parce qu'elle permet d'exprimer plus simplement les propriétés et relations propres à chacune d'elles

REGLES DE TRAITEMENT:

Un ACHAT EST ADRESSE à un ORGANISME du Type "Fournisseur"
Un PRODUIT EST FOURNI par un ORGANISME du Type "Fournisseur"
Une COMMANDE EST EMISE par un ORGANISME du Type "Client"

[FIG 3.13. – *Spécialisation et généralisation d'entité : cas où la spécialisation est préférable.*]

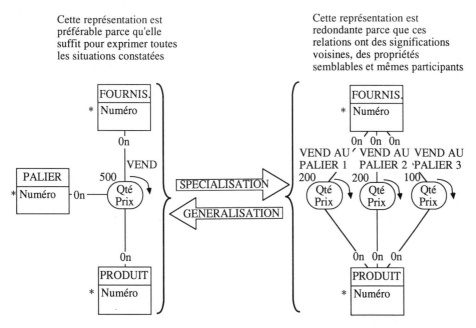

Cette représentation est préférable parce qu'elle suffit pour exprimer toutes les situations constatées

Cette représentation est redondante parce que ces relations ont des significations voisines, des propriétés semblables et mêmes participants

[FIG 3.14. – *Spécialisation et généralisation de relation.*]

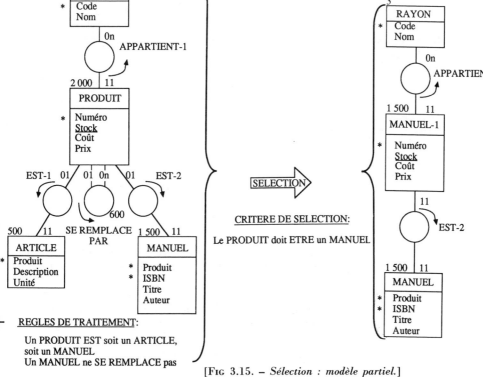

Cette représentation s'applique à la fois aux ARTICLES et aux MANUELS: elle est plus complète

Cette représentation s'applique seulement aux PRODUITS qui SONT des MANUELS: ceux-ci sont au nombre de 1 500 dans seulement 3 RAYONS
Noter les changements de cardinalités

CRITERE DE SELECTION:

Le PRODUIT doit ETRE un MANUEL

REGLES DE TRAITEMENT:

Un PRODUIT EST soit un ARTICLE, soit un MANUEL
Un MANUEL ne SE REMPLACE pas

[FIG 3.15. – *Sélection : modèle partiel.*]

(OS4)   Une sélection d'un modèle (ou *modèle partiel*) s'obtient en ajoutant des règles de traitement qui limitent les réalisations possibles du modèle : cardinalités plus strictes, nouvelles règles de domaine, de cohérence ou d'existence (*fig. 3.15*). Dans le modèle partiel, les noms de certains objets et leurs populations doivent être changés pour s'accorder aux nouvelles significations.

(OS5)   Une vue obtenue par sélection d'un modèle normal est généralement normale.

Compositions

(OC0)   Les opérations de *composition* simulent un mode fréquent d'association d'objets au plan logique mais leur utilité pour la modélisation conceptuelle est liée à l'opération inverse, la décomposition, qui aide à normaliser un modèle.

(OC1)   Lorsque deux objets possèdent une propriété ayant même domaine, on peut former un nouvel objet par composition (ou jointure) de ces deux objets : à chaque occurrence du premier objet on joint chaque occurrence du deuxième objet pour laquelle cette propriété a même valeur et l'on forme ainsi les occurrences du nouvel objet (*fig. 3.16*).

(OC2)   La composition possède les propriétés des objets composés. Elle possède un identifiant qui regroupe les identifiants des objets composés. Sa population dépend de la répartition des valeurs de la propriété servant à faire la composition.

(OC3)   Dans le modèle conceptuel, on peut considérer que l'objet obtenu par composition remplace les objets intervenant dans celle-ci et participe aux mêmes relations avec d'autres objets. Les cardinalités doivent être changées en conséquence.

(OC4)   On peut composer ensemble différentes sortes d'objets : entités, relations ou objets dérivés (*fig. 3.17*). Très fréquemment, les compositions portent sur des objets reliés entre eux et se font sur la base d'identifiants communs.

(OC5)   Un objet obtenu par composition n'est généralement pas normal, car certaines de ses propriétés dépendent d'une partie de l'identifiant.

(OC6)   Une vue dans laquelle un objet est obtenu par composition n'est généralement pas normale.

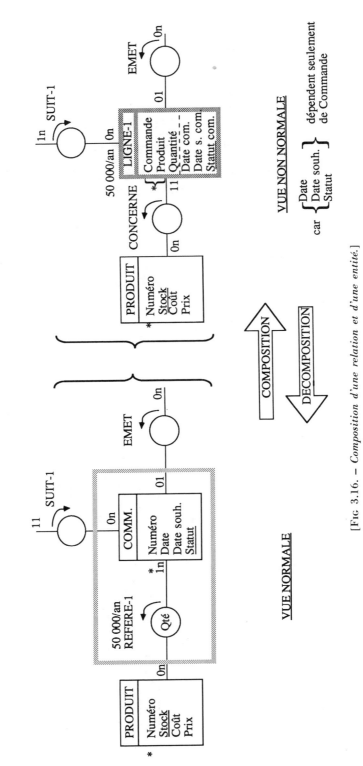

[Fig 3.16. – *Composition d'une relation et d'une entité.*]

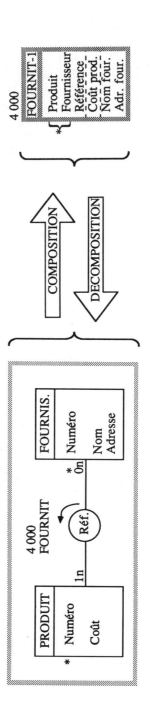

La représentation normale
est de rigueur pour le modèle
conceptuel

Double composition suivant les propriétés
Produit et Fournisseur de FOURNIT
L'objet résultant est une liste des occurrences
de FOURNIT dans lesquelles sont répétées les
propriétés du PRODUIT et du FOURNISSEUR

COMPOSITION

DECOMPOSITION

VUE NORMALE

FOURNIT-1

Produit
Fournisseur
Référence
Coût prod.
Nom four.
Adr. four.

4 000

VUE NON NORMALE

car {
Coût dépend seulement de Produit
Nom dépend seulement de Fournisseur
Adresse dépend seulement de Fournisseur
}

PRODUIT

Numéro
Coût

4 000
FOURNIT

Réf.

1n

FOURNIS.

Numéro
Nom
Adresse

*
0n

[Fig 3.17. – *Composition d'une relation et de deux entités.*]

Groupements

G0)
    Les opérations de *groupement* simulent un mode fréquent d'association d'objets au plan logique mais leur utilité pour la modélisation conceptuelle est liée à l'opération inverse, le dégroupement, qui aide à normaliser un modèle.

G1)
    Lorsque deux objets sont reliés, on peut former un nouvel objet par groupement de ces deux objets : à chaque occurrence du premier objet, on associe *toutes* les occurrences du deuxième objet qui lui sont reliées et l'on forme ainsi les occurrences du nouvel objet (*fig. 3.18*).

G2)
    Le groupement possède les propriétés des objets groupés, soit celles du premier objet, plus un certain nombre de fois celles du deuxième objet ; ce nombre est déterminé par les cardinalités associées aux relations mises en jeu. Le groupement possède l'identifiant et la population du premier objet.

G3)
    Dans le modèle conceptuel, on peut considérer que l'objet obtenu par groupement remplace les objets intervenant dans celui-ci et participe aux mêmes relations avec d'autres objets. Les cardinalités doivent être changées en conséquence.

G4)
    On peut grouper ensemble différentes sortes d'objets reliés entre eux : entités, relations ou objets dérivés (*fig. 3.19*).

G5)
    Un objet obtenu par groupement n'est généralement pas normal car certaines de ses propriétés sont facultatives, répétitives ou ne dépendent pas directement de l'identifiant de l'objet.

G6)
    Une vue dans laquelle un objet est obtenu par groupement n'est généralement pas normale.

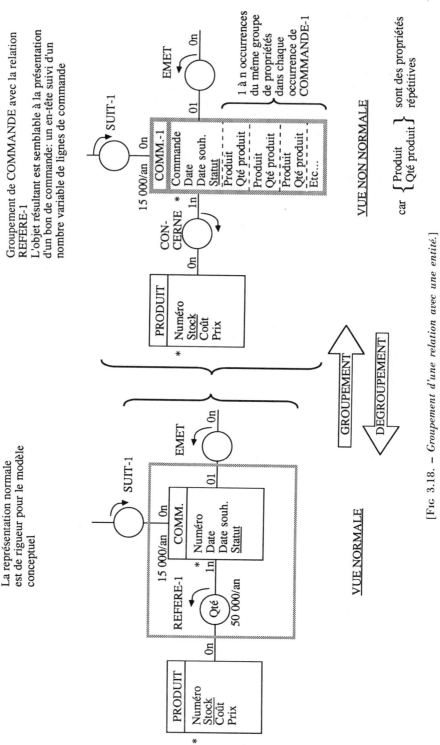

[FIG 3.18. – *Groupement d'une relation avec une entité.*]

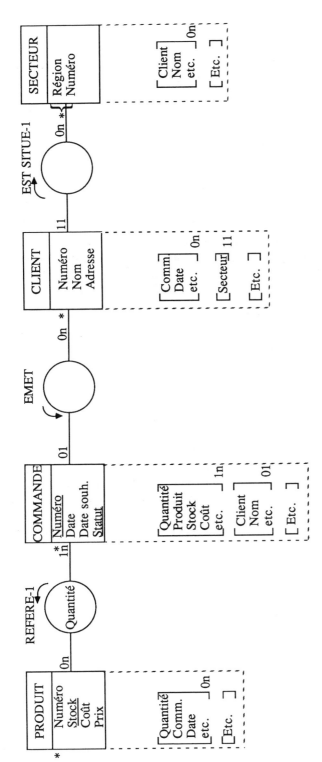

[Fig 3.19. – *Groupements de plusieurs objets.*]

VUES NON NORMALES

Ces divers groupements présentent la même information sous des formes différentes
Chacun d'eux est construit autour d'une entité différente
Les cardinalités associées à chaque groupe de propriétés indiquent combien de fois
le groupe est répété; ce sont les cardinalités des relations correspondantes du modèle

Augmentations

(OA0)   Les opérations *d'augmentation* enrichissent un modèle sans changer son contenu fondamental. Elles permettent de vérifier qu'un modèle est à même de satisfaire différents besoins d'information et sont, de ce fait, également utiles au plan logique.

(OA1)   Un *modèle augmenté* s'obtient en ajoutant au modèle de départ de nouveaux objets avec les règles d'existence qui les définissent ou de nouvelles propriétés avec les règles de calcul qui les définissent. Les nouveaux objets ou propriétés sont dits *calculés* par opposition aux objets et propriétés d'origine qui sont dits *primaires*.

(OA2)   Une propriété calculée se rattache à un objet du modèle de la même manière qu'une propriété primaire, c'est-à-dire en suivant les mêmes règles de modélisation (*fig. 3.20*). Au besoin, un nouvel objet doit être introduit dans le modèle pour porter cette propriété (*fig. 3.21*).

(OA3)   Un modèle peut être augmenté sans limite. Un modèle augmenté est souvent représenté sans tenir compte des dépendances supplémentaires introduites par les règles de calcul.

Combinaisons de dérivations

Les opérations de dérivation, c'est-à-dire de projection, de sélection, de composition, de groupement et d'augmentation ainsi que leurs combinaisons permettent de transformer le modèle d'origine pour obtenir une grande variété de vues, qui ne sont généralement pas normales. Au plan logique, une vue permet de représenter un flux ; la dérivation qui produit cette vue permet donc de représenter la fonction qui produit ce flux.

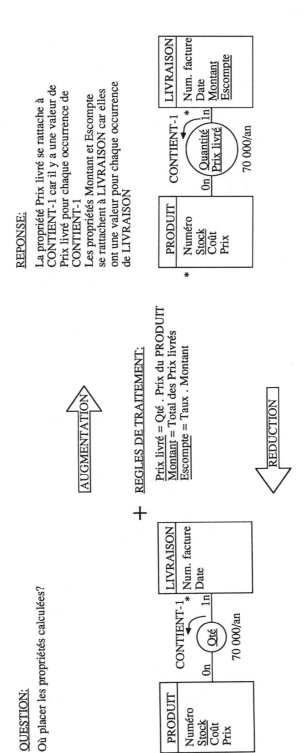

QUESTION:

Où placer les propriétés calculées?

AUGMENTATION

RÉGLES DE TRAITEMENT:

Prix livré = Qté . Prix du PRODUIT
Montant = Total des Prix livrés
Escompte = Taux . Montant

REDUCTION

REPONSE:

La propriété Prix livré se rattache à CONTIENT-1 car il y a une valeur de Prix livré pour chaque occurrence de CONTIENT-1
Les propriétés Montant et Escompte se rattachent à LIVRAISON car elles ont une valeur pour chaque occurrence de LIVRAISON

[FIG 3.20. – *Augmentation : propriétés calculées.*]

QUESTION:

Où placer les propriétés calculées?

RÉPONSE:

La relation EST VENDU entre RAYON et REGION est créée pour porter la propriété Vente, car celle-ci dépend de RAYON et REGION

Il existe une occurrence de EST VENDU chaque fois qu'il y a des Ventes non nulles

L'entité SOMMAIRE, possédant une occurrence unique, est créée pour porter la propriété Vente totale, qui ne dépend d'aucun identifiant

RÈGLES DE TRAITEMENT:

Vente par RAYON, par REGION = Total des Ventes des PRODUITS du RAYON aux CLIENTS de la REGION

Vente totale = Total de toutes les Ventes

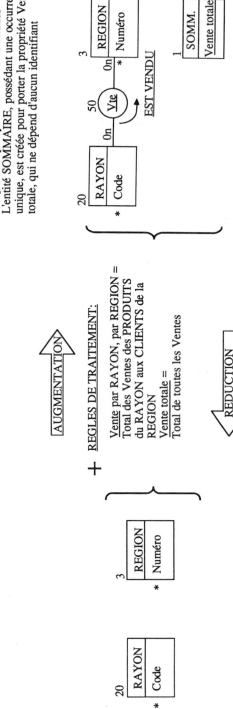

[FIG 3.21. – *Augmentation : propriétés et objets calculés.*]

3.4 INTÉGRATION

Fusions

U0)   Les opérations de *fusion* simplifient un modèle en réduisant le nombre d'objets requis. Une fusion est l'opération qui consiste à retrouver un modèle normal à partir de projections de celui-ci. Une fusion est en quelque sorte l'inverse d'un ensemble de projections. Elle n'est possible que si les sous-modèles à fusionner proviennent, par projection, du même modèle.

U1)   Une propriété peut être fusionnée à un objet à condition qu'elle ait exactement une valeur pour chaque occurrence de l'objet (*fig. 3.22* et *3.23*).

QUESTION:

ù placer les propriétés Stock Auteur?

REPONSE:

La propriété Stock peut être fusionnée à PRODUIT: il y a une valeur de Stock pour chaque occurrence de PRODUIT
La propriété Auteur ne peut pas être fusionnée à PRODUIT car il existe des occurrences de PRODUIT sans valeur d'Auteur
Il peut être nécessaire de créer un autre objet

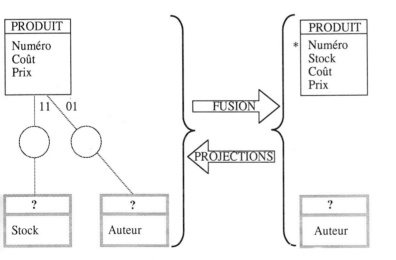

[FIG 3.22. – *Fusion d'une propriété et d'une entité.*]

QUESTION:

Où placer la propriété Quantité livrée d'un produit?

REPONSE:

Elle peut être fusionnée à CONTIENT car elle a exactement une valeur pour chaque occurrence de CONTIENT

Elle ne peut pas être fusionnée à LIVRAISON (ni à PRODUIT) car il peut exister des occurrences de LIVRAISON (de PRODUIT) avec plus d'une valeur de Quantité livrée

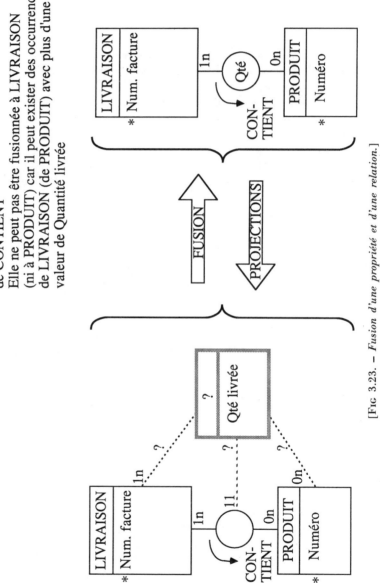

[FIG 3.23. – *Fusion d'une propriété et d'une relation.*]

J2)   Deux entités peuvent être fusionnées à condition que leurs occurrences se correspondent exactement (relation d'affectation complète) (*fig. 3.24*).

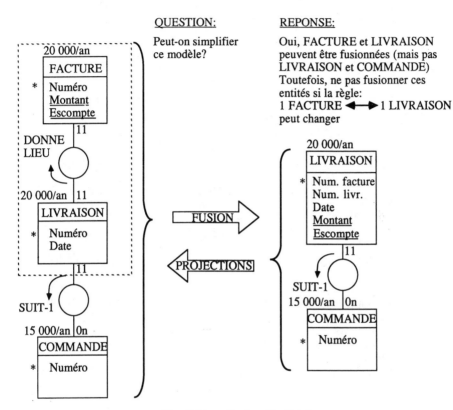

QUESTION:

Peut-on simplifier ce modèle?

REPONSE:

Oui, FACTURE et LIVRAISON peuvent être fusionnées (mais pas LIVRAISON et COMMANDE) Toutefois, ne pas fusionner ces entités si la règle:
1 FACTURE ◄───► 1 LIVRAISON peut changer

[FIG 3.24. – *Fusion d'entités.*]

J3)   Deux relations peuvent être fusionnées à condition que leurs occurrences se correspondent exactement et que par conséquent, elles aient les mêmes entités participantes et les mêmes cardinalités (*fig. 3.25*). La relation résultante a ainsi mêmes occurrences, entités participantes et cardinalités.

J4)   L'objet résultant de la fusion de deux objets réunit leurs propriétés : celles qui sont distinctes le restent, celles qui sont communes sont conservées chacune une seule fois (*fig. 3.26*). Sa population est la même que celle de chacun des objets fusionnés.

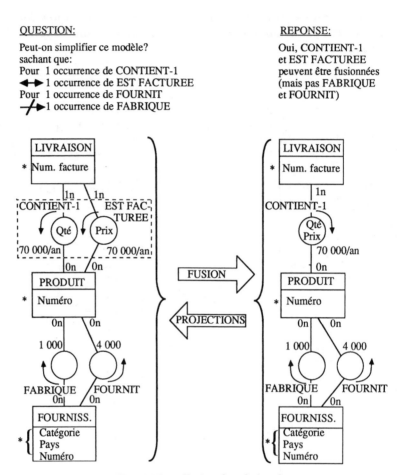

QUESTION:

Peut-on simplifier ce modèle?
sachant que:
Pour 1 occurrence de CONTIENT-1
◀━▶1 occurrence de EST FACTUREE
Pour 1 occurrence de FOURNIT
━╱▶1 occurrence de FABRIQUE

REPONSE:

Oui, CONTIENT-1
et EST FACTUREE
peuvent être fusionnées
(mais pas FABRIQUE
et FOURNIT)

[FIG 3.25. – *Fusion de relations.*]

(FU5)   Deux vues possédant une entité commune (c'est-à-dire ayant les mêmes occurrences) peuvent être fusionnées par l'intermédiaire de cette entité (*fig. 3.27*). Celle-ci conserve toutes ses participations aux relations des deux modèles de départ.

(FU6)   Deux vues ne possédant pas d'entité commune peuvent être fusionnées s'il existe une relation entre des entités de l'une et de l'autre (*fig. 3.28*). Le modèle fusionné inclut cette relation.

(FU7)   Une fusion de deux vues peut être accomplie par étapes (lorsqu'elle est possible).

QUESTION:

Comment rendre ce modèle
moins redondant?

REPONSE:

En fusionnant PRODUIT EN STOCK
et PRODUIT VENDU, qui sont des
vues de la même entité PRODUIT
Les propriétés Numéro et Coût,
communes aux entités fusionnées,
sont conservées une seule fois
Les propriétés Stock et Prix sont
conservées telles quelles

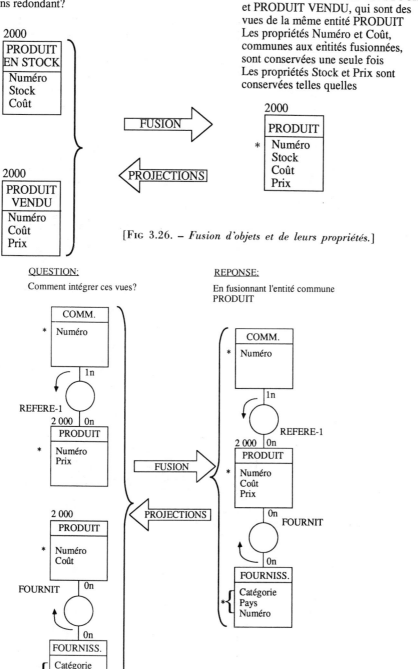

[FIG 3.26. − *Fusion d'objets et de leurs propriétés.*]

QUESTION:

Comment intégrer ces vues?

REPONSE:

En fusionnant l'entité commune
PRODUIT

[FIG 3.27. − *Fusion de vues avec entité commune.*]

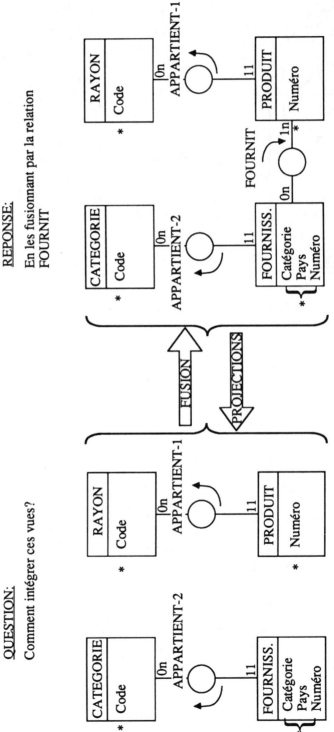

[Fig 3.28. – *Fusion de vues sans entité commune.*]

Réunions

U0)   Les opérations de *réunion* simplifient un modèle en réduisant le nombre d'objets requis. Une réunion est l'opération qui consiste à retrouver un modèle normal à partir de sélections de celui-ci. Une réunion est en quelque sorte l'inverse d'un ensemble de sélections. Elle n'est possible que si les modèles partiels à réunir proviennent, par sélection, du même modèle.

U1)   Une nouvelle occurrence peut être réunie à un objet à condition d'avoir les mêmes propriétés que celui-ci (*fig. 3.29*).

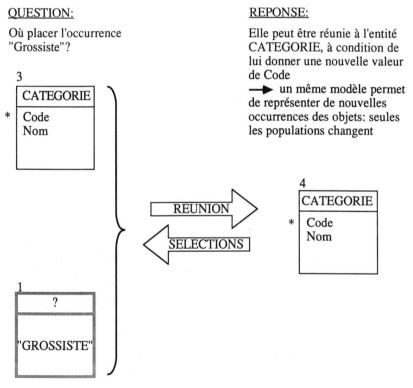

QUESTION:

Où placer l'occurrence "Grossiste"?

REPONSE:

Elle peut être réunie à l'entité CATEGORIE, à condition de lui donner une nouvelle valeur de Code
➤ un même modèle permet de représenter de nouvelles occurrences des objets: seules les populations changent

[FIG 3.29. – *Réunion d'une occurrence et d'un objet.*]

U2)   Deux entités peuvent être réunies à condition d'avoir les mêmes propriétés (*fig. 3.30*) ou de pouvoir être dotées des mêmes propriétés (*fig. 3.31*).

U3)   Deux relations peuvent être réunies à condition que la relation résultante généralise leur sens : elles doivent avoir les mêmes entités

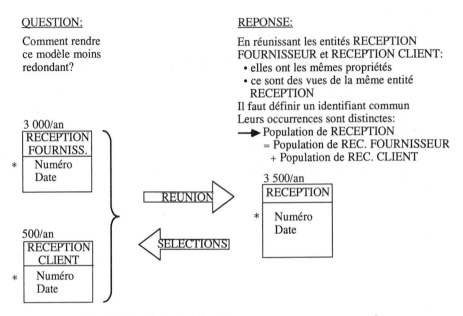

Comment rendre
ce modèle moins
redondant?

En réunissant les entités RECEPTION
FOURNISSEUR et RECEPTION CLIENT:
 • elles ont les mêmes propriétés
 • ce sont des vues de la même entité
   RECEPTION
Il faut définir un identifiant commun
Leurs occurrences sont distinctes:
➡ Population de RECEPTION
    = Population de REC. FOURNISSEUR
    + Population de REC. CLIENT

[FIG 3.30. – *Réunion d'entités sans occurrences communes.*]

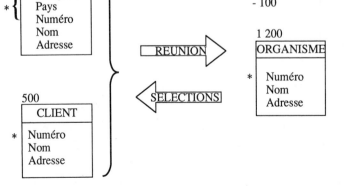

Comment rendre
ce modèle moins
redondant?

En réunissant les entités FOURNISSEUR et
CLIENT:
 • elles ont les mêmes propriétés
 • ce sont des vues de la même entité
   ORGANISME
Il faut définir un identifiant commun
100 occurrences d'ORGANISME sont à la fois
occurrences de FOURNISSEUR et de CLIENT:
➡ Population d'ORGANISME
    = Population de FOURNISSEUR
    + Population de CLIENT
    - 100

[FIG. 3.31. – *Réunion d'entités avec occurrences communes.*]

participantes et les mêmes propriétés (*fig. 3.32*). Il n'est pas nécessaire que leurs cardinalités soient les mêmes. De plus, les cardinalités de la relation résultante peuvent être différentes.

U4) L'objet résultant de la réunion de deux objets réunit leurs occurrences : celles qui sont distinctes le restent, celles qui sont communes sont conservées chacune une seule fois. La population est donc égale (*fig. 3.30* et *3.32*) ou inférieure (*fig. 3.31*) à la somme des populations des objets réunis. L'objet résultant possède les mêmes propriétés que chacun des objets réunis.

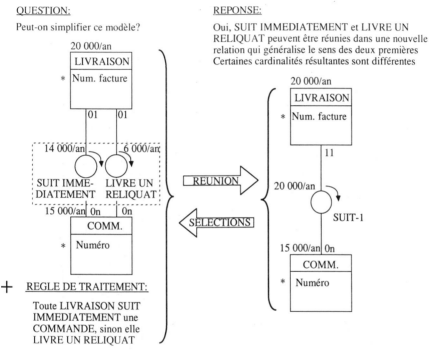

QUESTION:

Peut-on simplifier ce modèle?

REPONSE:

Oui, SUIT IMMEDIATEMENT et LIVRE UN RELIQUAT peuvent être réunies dans une nouvelle relation qui généralise le sens des deux premières Certaines cardinalités résultantes sont différentes

[Fig 3.32. – *Réunion de relations.*]

U5) Plusieurs objets ayant les mêmes propriétés peuvent souvent être réunis pour former un même objet, appelé une *généralisation* des objets d'origine. La généralisation est l'inverse d'un ensemble de spécialisations.

U6) La généralisation d'un ensemble d'entités est une nouvelle entité qui contient les mêmes propriétés que celles-ci, plus éventuellement une propriété supplémentaire qui permet de distinguer les entités d'origine (*fig. 3.12* et *3.13*). Cette nouvelle propriété peut faire partie de l'identifiant.

U7) La généralisation d'un ensemble de relations binaires est une relation ternaire qui contient les mêmes propriétés que celles-ci, plus une nouvelle entité participante qui permet de distinguer les relations d'origine (*fig. 3.14*).

(RU8)   Deux vues dans chacune desquelles il existe une entité susceptible d'être réunie, peuvent être réunies par l'intermédiaire de cette entité (*fig. 3.33*). Celle-ci conserve toute ses participations aux relations des deux vues de départ. Les cardinalités peuvent changer. Il peut être nécessaire d'ajouter des règles de traitement.

(RU9)   Une réunion de deux vues peut être accomplie par étapes (lorsqu'elle est possible).

QUESTION:

Comment intégrer ces deux vues?

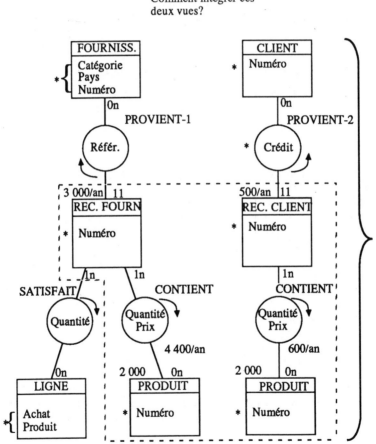

REPONSE:

En réunissant les entités PRODUIT des deux vues
En fusionnant les entités RECEPTION FOURNISSEUR
et RECEPTION CLIENT en une seule entité RECEPTION
En fusionnant les relations CONTIENT des deux vues:
  • mêmes participants
  • mêmes propriétés
  • même signification
L'entité RECEPTION participe aux mêmes relations que
les entités de départ mais:
  • certaines cardinalités résultantes sont différentes
  • il faut préciser les conditions de participation à l'aide
de règles de traitement

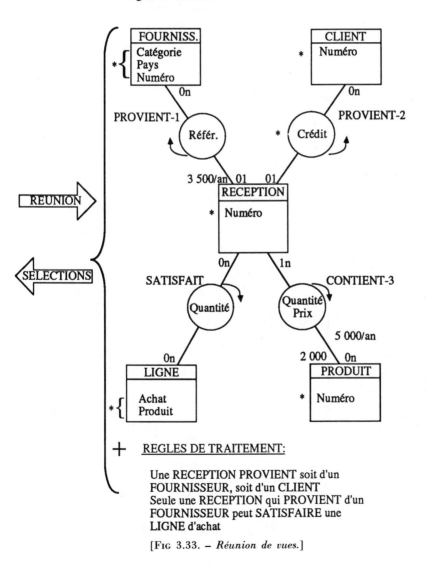

REGLES DE TRAITEMENT:

Une RECEPTION PROVIENT soit d'un
FOURNISSEUR, soit d'un CLIENT
Seule une RECEPTION qui PROVIENT d'un
FOURNISSEUR peut SATISFAIRE une
LIGNE d'achat

[Fig 3.33. – *Réunion de vues.*]

Décompositions

(DC0)   Les opérations de *décomposition* simplifient et normalisent un modèle en créant des objets plus modulaires à partir de certains objets observés au plan logique. Une décomposition est l'opération qui consiste à retrouver un modèle normal à partir d'un objet composé ; c'est donc l'inverse d'une composition. Cette opération n'est possible que si l'objet à décomposer provient réellement de la composition d'un modèle normal.

(DC1)   Une vue où des propriétés dépendent d'une partie de l'identifiant, en violation de la règle (FN2), doit être décomposée (*fig. 3.34*).

QUESTION:

Comment rendre normale la vue PRODUIT-1?
sachant que:
Pour 1 valeur de Produit → 1 valeur de Stock
↛ 1 valeur de Référence
Pour 1 valeur de Produit. Fournisseur
→ 1 valeur de Référence

REPONSE:

En décomposant la vue en deux
objets:
• l'entité PRODUIT avec Stock
• la relation FOURNIT avec Réf.

[FIG 3.34. – *Décomposition d'une vue en une entité et une relation.*]

(DC2)   Une vue où des propriétés dépendent indirectement de l'identifiant, en violation de la règle (FN3), doit être décomposée (*fig. 3.35*).

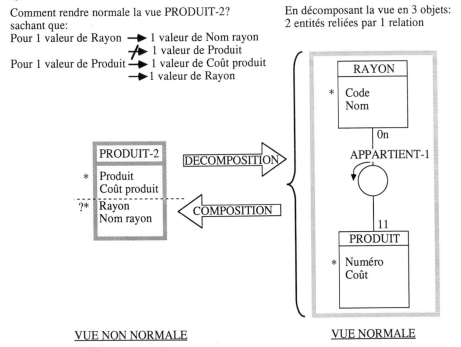

QUESTION:

Comment rendre normale la vue PRODUIT-2?
sachant que:
Pour 1 valeur de Rayon ➤ 1 valeur de Nom rayon
                        ➤ 1 valeur de Produit
Pour 1 valeur de Produit ➤ 1 valeur de Coût produit
                        ➤ 1 valeur de Rayon

REPONSE:

En décomposant la vue en 3 objets:
2 entités reliées par 1 relation

VUE NON NORMALE   VUE NORMALE

[FIG 3.35. – *Décomposition d'une vue en deux entités et une relation.*]

)C3)   Le modèle décomposé est généralement constitué d'objets reliés entre eux. On peut obtenir par exemple, une entité et une relation (*fig. 3.34*), deux entités reliées par une relation (*fig. 3.35*), une relation avec une nouvelle entité participante (*fig. 3.36*). Les propriétés sont distribuées aux nouveaux objets selon leur dépendance envers les identifiants.

)C4)   Une relation à plus de deux branches qui possède des cardinalités 11 (*fig. 3.37*) peut être décomposée en relations hiérarchiques.

)C5)   La décomposition d'une vue peut être accomplie par étapes (lorsqu'elle est possible).

QUESTION:

Comment rendre normale la vue OBJECTIF?
sachant que:
Pour 1 valeur d'EMPLOYE →► 1 valeur de Nom employé
                          ⇥► 1 valeur d'Objectif
Pour 1 valeur de Rayon. Région:
  1 valeur d'Empl. respons. ◄─► 1 valeur d'Objectif

REPONSE:

En décomposant la vue en 2 objets:
• l'entité EMPLOYE avec la propriété Nom
• la relation EST RESPONSABLE avec la
  propriété Objectif
En explicitant la règle de traitement implicite
dans la relation originale

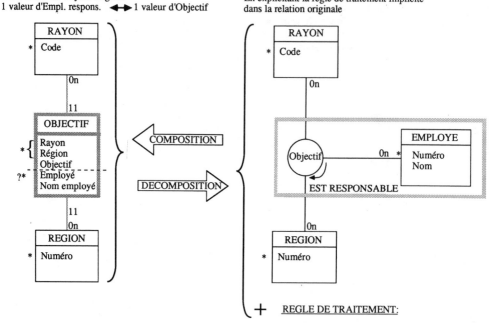

REGLE DE TRAITEMENT:

A chaque combinaison d'un RAYON et d'une
REGION, il correspond au plus un EMPLOYE

VUE NON NORMALE   VUE NORMALE

[FIG 3.36. – *Decomposition d'une vue en une relation ternaire et une entité.*]

Peut-on simplifier la relation ternaire
APPARTIENT où FOURNISSEUR
participe avec des cardinalités 11?

Oui, en la décomposant en deux
relations hiérarchiques

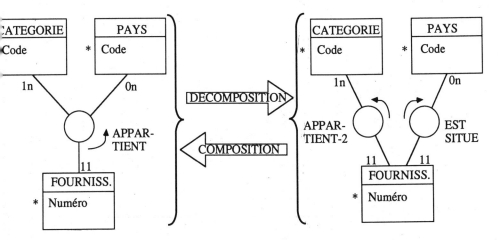

[Fig 3.37. – *Décomposition d'une relation ternaire ayant des cardinalités 11.*]

Dégroupements

DG0) Les opérations de *dégroupement* simplifient et normalisent un modèle en créant des objets plus modulaires à partir de certains objets observés au plan logique. Un dégroupement est l'opération qui consiste à retrouver un modèle normal à partir d'un objet groupé ; c'est donc l'inverse d'un groupement. Cette opération n'est possible que si l'objet à dégrouper provient réellement du groupement d'un modèle normal.

DG1) Une vue où des propriétés sont facultatives ou répétitives, en violation de la règle (FN1), doit être dégroupée (*fig. 3.38*).

DG2) Le modèle dégroupé est généralement constitué d'objets reliés entre eux. On peut obtenir par exemple une entité et une relation (*fig. 3.18*), deux entités reliées par une relation (*fig. 3.38*), ou une relation avec une nouvelle entité participante (*fig. 3.39*).

DG3) Le dégroupement d'une vue peut être accompli par étapes (lorsqu'il est possible).

QUESTION:

Comment rendre normale la vue COMMANDE-1?
sachant que:

Pour 1 valeur de Commande — 1 valeur de Produit
— 1 valeur de chaque Date

Pour 1 valeur de Produit — 1 valeur de Coût produit

Pour 1 valeur de Produit. Commande — 1 valeur de Quantité

REPONSE:

En décomposant la vue en 3 objets:
2 entités et une relation

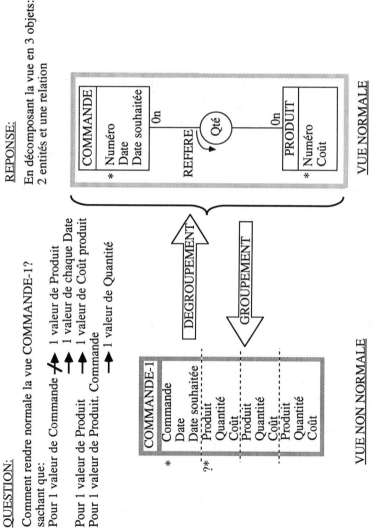

VUE NON NORMALE

VUE NORMALE

[FIG. 3.38. – *Dégroupement d'une vue en deux entités reliées par une relation.*]

Comment rendre normale la vue TARIF?
sachant que:
Pour 1 valeur de Fournisseur. Produit
             ⇸ 1 valeur de Quantité
Pour 1 valeur de Fournisseur. Produit
et pour 1 Quantité   → 1 valeur de Prix

REPONSE:

En dégroupant la vue en 2 objets:
 • l'entité PALIER
 • la relation ternaire VEND qui indique
les PALIERS de Quantité et de Prix
pour le PRODUIT d'un FOURNISSEUR

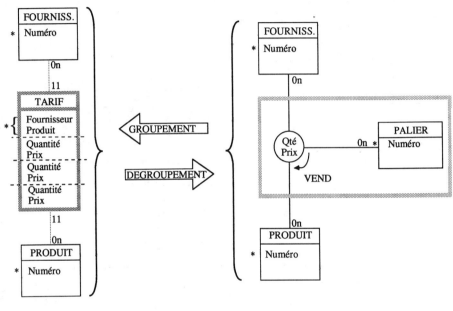

VUE NON NORMALE   VUE NORMALE

[Fɪɢ 3.39. – *Dégroupement d'une vue en une relation
avec une nouvelle entité participante.*]

Réductions

RD0)   Les opérations de *réduction* simplifient un modèle en limitant le nombre d'objets et de propriétés à ceux qui sont fondamentaux. Une réduction est une sélection qui élimine des objets dérivés ou des propriétés calculées d'une vue ainsi que les règles de calcul correspondantes. C'est l'opération inverse d'une augmentation (*fig. 3.40*).

RD1)   Le modèle des propriétés primaires ne contient pas d'objets dérivés ni de propriétés calculées à l'exception d'identifiants calculés ; il ne peut pas être réduit (*fig. 3.9*).

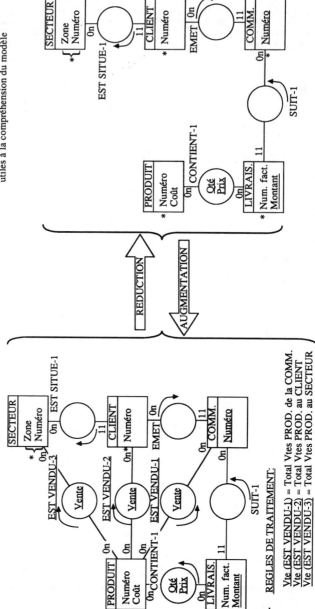

QUESTION:

Peut-on simplifier ce modèle?

REPONSE:

Oui, en le réduisant; on élimine:
- les propriétés calculées Vente
- les relations dérivées EST VENDU, qui alourdissent le modèle
- les règles de calcul correspondantes

Mais on conserve les propriétés calculées utiles à la compréhension du modèle

REGLES DE TRAITEMENT:

Vte (EST VENDU-1) = Total Vtes PROD. de la COMM.
Vte (EST VENDU-2) = Total Vtes PROD. au CLIENT
Vte (EST VENDU-3) = Total Vtes PROD. au SECTEUR

[FIG 3.40. – *Réduction.*]

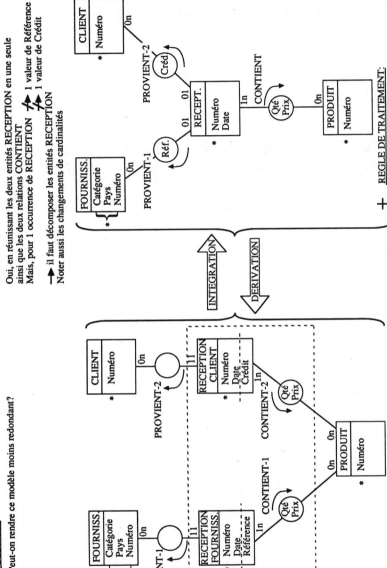

REPONSE:

Oui, en réunissant les deux entités RECEPTION en une seule ainsi que les deux relations CONTIENT
Mais, pour 1 occurrence de RECEPTION
➤ il faut décomposer les entités RECEPTION
Noter aussi les changements de cardinalités

1 valeur de Référence
1 valeur de Crédit

REGLE DE TRAITEMENT:

Une RECEPTION PROVIENT soit d'un FOURNISSEUR, soit d'un CLIENT

QUESTION:

Peut-on rendre ce modèle moins redondant?

[Fig 3.41. – *Réunion et décomposition.*]

Combinaisons d'intégrations

Il est souvent nécessaire de combiner les opérations de fusion, de réunion, de décomposition, de dégroupement et de réduction pour simplifier le modèle de départ (*fig. 3.41*).

3.5 REPRÉSENTATION

Les objets faisant partie d'un sous-modèle, d'un modèle partiel, ou intervenant dans une composition, un groupement, une fusion ou une réunion peuvent être distingués par un tracé en pointillé.

Un objet non normal peut être représentée par un rectangle en traits renforcés.

Les objets et propriétés calculés sont soulignés.

4. *Modélisation conceptuelle*

« *Une des principales fonctions du réseau de concepts
est de permettre de modifier légèrement des idées fausses pour
les transformer en variantes qui peuvent être correctes* » .
D. HOFSTADTER, *Gödel, Escher, Bach.*

Le présent chapitre montre comment se construit progressivement
le modèle conceptuel. La démarche est présentée, ainsi que trois versions
successives du modèle, correspondant à trois phases caractéristiques du
développement des systèmes (voir le début du chapitre 1). Le lecteur
connaît bien (peut-être trop bien !) le contexte : c'est celui de l'exemple
étudié dans cet ouvrage. Il est donc en mesure de comparer les versions
du modèle, de juger de leur ressemblance avec la « réalité » et d'apprécier
les efforts requis pour mettre au point la version définitive.

Ce chapitre donne aussi un exemple du cheminement d'une version
du modèle à la suivante. Il illustre les situations concrètes auxquelles fait
face un modélisateur : choix entre différentes représentations, transformations du modèle (au sens du chapitre 3), ajustements au modèle conceptuel
lors de l'élaboration du modèle logique, etc. En l'étudiant, le lecteur pourra
mieux situer l'emploi des techniques exposées dans les chapitres
précédents.

4.1. DÉMARCHE

L'intérêt ultime de la modélisation conceptuelle est de mener rapidement à des applications concrètes qui respectent un cadre d'ensemble cohérent.

La démarche proposée dans cet ouvrage (*fig. 1.3*) consiste à élaborer par mises au point successives un modèle conceptuel de plus en plus précis et complet ; au *modèle global* d'entreprise (*fig. 4.1*) succèdent les *modèles généraux de domaines* (*fig. 4.2* et *4.3*) qui identifient les objets de chaque domaine d'activité de l'entreprise, puis finalement les *modèles détaillés* (*fig. 4.5* et *4.6*) qui contiennent toutes les informations requises.

Chaque phase de modélisation conceptuelle comporte des étapes de recueil d'information, d'analyse et de conception, et est suivie d'une phase de modélisation logique qui permet de valider les modèles conceptuels obtenus et d'en assurer l'adéquation aux besoins d'information.

4.2. SOURCES D'INFORMATION

Pour élaborer un modèle conceptuel, il faut rechercher les informations qui permettent d'identifier et de décrire les objets, propriétés et règles de traitement du modèle.

Il est souvent assez facile d'élaborer une première ébauche du modèle conceptuel, en s'adressant aux *responsables du secteur considéré* et en leur demandant de décrire l'objet de leurs activités. Certains termes-clés et phrases utilisés pour une telle description se traduisent assez naturellement en entités et en relations entre les entités.

Cependant, pour préciser le modèle conceptuel, notamment au niveau des cardinalités et propriétés, il est généralement nécessaire d'étudier en détails des sources écrites.

Les *informations générales sur le fonctionnement de l'entreprise* : textes de lois, règlements et énoncés de politiques relatifs à un secteur donné énoncent les principales règles applicables à ce secteur. De ce fait, ces sources permettent d'identifier les principales entités du secteur, les relations les plus importantes et les principales règles à considérer. Parfois, elles définissent explicitement certaines entités, relations et même des propriétés.

Les *documents servant à saisir ou enregistrer les données* : imprimés, fichiers manuels et autres supports d'informations détaillées sont particulièrement utiles. L'existence d'un tel document indique souvent l'existence d'une entité ou d'une relation dont le nom correspond au titre du document. L'arrangement des différentes parties du document donne des indications sur l'existence d'autres entités reliées à la première et sur les cardinalités impliquées. Le contenu du document permet d'inventorier des propriétés rattachées à ces objets et parfois d'identifier certaines règles de traitement. En somme, la vue qui sous-tend un tel document est souvent très proche du modèle conceptuel, dont elle se déduit par un minimum de transformations.

Les *spécifications informatiques* de fichiers, de bases de données et de transactions informatiques, jouent le même rôle que les imprimés : elles permettent d'identifier des entités, relations et propriétés qui s'y rattachent, ainsi que certaines cardinalités. Cependant, il faut se garder d'inclure dans le modèle conceptuel tous les éléments physiques ainsi trouvés : certains éléments de données ne sont présents que pour la commodité des traitements ; certaines cardinalités implicites dans la structure physique des données résultent de contraintes propres au logiciel utilisé.

Les *documents décrivant en détail le fonctionnement des systèmes* : manuels de procédés, guides d'utilisateurs et spécifications de systèmes, contiennent des renseignements détaillés sur l'information manipulée par les systèmes et sur les règles qui s'y appliquent. Ils sont utiles pour préciser les différentes règles de traitement et pour parfaire la définition des propriétés.

Enfin, *les documents produits par les systèmes existants :* tels que listes, rapports, états et autres supports d'informations résumées permettent de valider le modèle conceptuel. Ils correspondent souvent à des vues plus ou moins transformées de ce modèle.

Toutefois, il est rare que les sources d'information tant écrites qu'orales utilisent un vocabulaire précis, clair et cohérent ; les mêmes notions sont souvent exprimées par des termes différents ; inversement, le même terme peut désigner des notions différentes ; parfois des notions essentielles ne sont pas nommées. Il revient au modélisateur d'introduire une plus grande rigueur dans le vocabulaire de l'entreprise, en choisissant les termes appropriés pour nommer et préciser les entités, relations et propriétés.

4.3. ANALYSE DE L'INFORMATION ET CONCEPTION DU MODÈLE

Modèle conceptuel global d'entreprise

Le modèle conceptuel global d'entreprise (*fig. 4.1*) est établi dès la phase de *plan directeur des systèmes de l'entreprise.*

Il constitue une première ébauche de modèle conceptuel qui indique quelles sont les principales entités et relations intéressant l'entreprise et montre ainsi l'étendue de ses activités. Il permettra également (au plan logique) d'identifier et de situer les uns par rapport aux autres, sous forme de vues, chacun des domaines de gestion de l'entreprise.

Le modèle conceptuel global d'entreprise se limite à un diagramme entité-relation de haut niveau sans propriétés ni cardinalités et il ne mentionne pas de règles de traitement. Les entités et relations sont celles qui se déduisent d'une analyse sommaire des informations générales sur le fonctionnement de l'entreprise. L'analyste identifie à l'aide de celles-ci les entités les plus représentatives des activités considérées ; il indique les principales relations qui existent entre elles et s'en tient à un niveau de généralité élevé pour ne pas alourdir inutilement le modèle.

Modèle conceptuel général d'un domaine

Les modèles conceptuels généraux de chacun des domaines sont établis de préférence simultanément lors de la phase *d'architecture des systèmes* de l'entreprise, ou encore individuellement lors de l'*étude préliminaire* de chacun des domaines.

Ces modèles décrivent la structure fondamentale de chacun des domaines et mettent en évidence leurs objets communs. Le modèle conceptuel général d'un domaine permettra (au plan logique) de situer, sous forme de vues, les fonctions des systèmes du domaine.

Chaque objet du modèle global représente une vue non analysée
sur des données ayant un intérêt pour l'entreprise
A ce niveau, le modèle ne peut être ni normal, ni complet

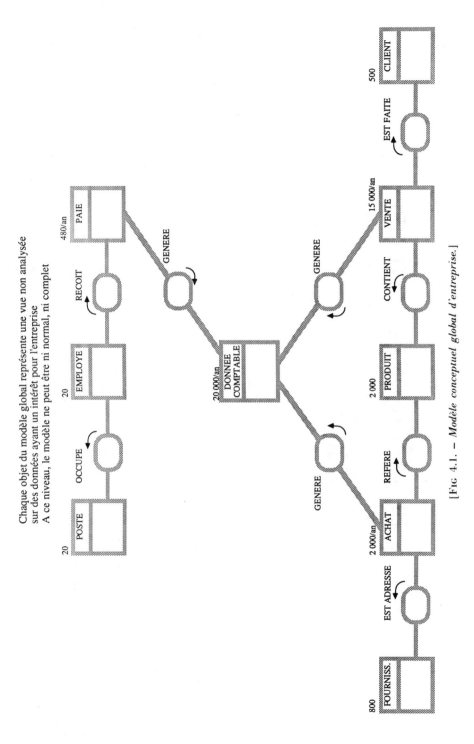

[Fɪɢ 4.1. – *Modèle conceptuel global d'entreprise.*]

DISTRIBUTION DE MATERIEL

La plupart des objets du modèle général représentent des entités et
relations du futur modèle détaillé
Mais le modèle est incomplet il y manque certains objets et
propriétés de moindre importance

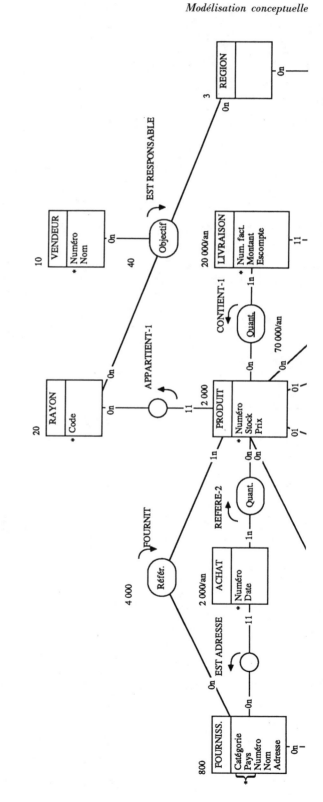

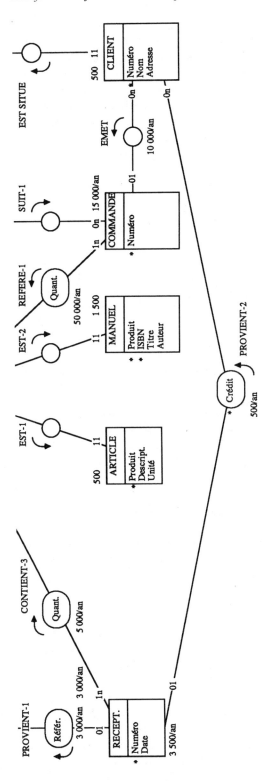

[FIG 4.2. – *Modèle conceptuel général d'un domaine : diagramme entité-relation.*]

Le modèle conceptuel général d'un domaine (fig. 4.2 et 4.3) contient la plupart des entités et relations du domaine, toutes les cardinalités correspondantes ainsi que les principales propriétés et les principaux identifiants. Il identifie les règles de traitement les plus importantes, c'est-à-dire celles qui s'appliquent au niveau des entités et relations, et spécifie notamment les entités généralisées ainsi que leurs spécialisations. Il indique enfin les entités communes avec d'autres domaines.

DISTRIBUTION DE MATERIEL

OBJET/PROPRIETE	REGLE DE TRAITEMENT
PRODUIT	Un PRODUIT EST un MANUEL ou un ARTICLE: les manuels et articles sont représentés (partiellement) par la même entité généralisée PRODUIT
FOURNISSEUR	Les fabricants d'articles, les éditeurs et distributeurs de manuels sont représentés par la même entité généralisée FOURNISSEUR; ils seront distingués par la propriété Catégorie
EST RESPONSABLE	Des objectifs de vente sont fixés au niveau d'un certain nombre de combinaisons RAYON-REGION; chacune est placée sous la responsabilité d'un VENDEUR unique

ETC

[FIG 4.3. – *Modèle conceptuel général d'un domaine : règles de traitement.*]

Le modèle conceptuel général d'un domaine se construit à partir du modèle global (pour la partie qui le concerne) et des informations générales et détaillées disponibles sur ce domaine. Une démarche possible est la suivante *(fig. 4.4)* :

1. *Analyse du domaine* :

1.1. Avec la participation des responsables du domaine, regrouper les documents manuels et spécifications informatiques en des ensembles qui correspondent aux entités du domaine apparaissant au modèle global.

1.2. Vérifier que les relations du modèle global correspondent à des données communes entre ces ensembles ; si nécessaire, ajuster la version préliminaire du modèle général du domaine.

1. Recueil des documents du domaine DISTRIBUTION DE MATERIEL
c'est-à-dire concernant les "entités" FOURNISSEUR, ACHAT, PRODUIT, VENTE et CLIENT du modèle global, suivi du tri de ces documents

1. Modélisation de chaque "entité"

a) Vue PRODUIT
Carte de stock ARTICLE: décomposition en ARTICLE et RAYON
    dégroupement avec ENTREE/SORTIE de stock
Carte de stock MANUEL: analyse semblable
Intégration de ces vues en créant l'entité généralisée PRODUIT

b) Vue CLIENT
Fiche d'identification CLIENT: décomposition en CLIENT et REGION
Tableau des ventes par VENDEUR: décomposition en VENDEUR, RAYON et REGION
Analyse de la relation entre VENDEUR et les autres entités
Fusion de ces vues par l'entité REGION

c) Vue VENTE
Bon de commande: décomposition en CLIENT, EMET, COMMANDE
    dégroupement de REFERE et PRODUIT
Bon de livraison: décompos. en LIVRAISON, SUIT, COMMANDE
    et LIVRAISON, EST FAITE, CLIENT
    dégroupement de CONTIENT et PRODUIT
Facture: constatation de la similarité avec le bon de livraison
Fusion de ces vues par les entités communes PRODUIT et COMMANDE
Elimination de la relation dérivée EST FAITE

d) Vue ACHAT
Bon d'achat: décomposition en ACHAT, EST ADRESSE, FOURNISS.
    dégroupement de REFERE et PRODUIT
Réception fourn.: décomp. en RECEPTION, PROVIENT, FOURNISS.
    dégroupement de CONTIENT et PRODUIT
Réception client: analyse semblable
Généralisation de l'entité RECEPTION
Fusion de ces vues par les entités communes PRODUIT et FOURNISS.

e) Vue FOURNISSEUR
Catalogue FOURNISSEUR: dégroupement en FOURNISSEUR, FOURNIT, PRODUIT

3. Intégration des vues
PRODUIT et VENTE: fusion de l'entité commune PRODUIT
    spécialisation d' ENTREE/SORTIE en SORTIE et réunion à CONTIENT
CLIENT: fusion des entités communes CLIENT et REGION
ACHAT: fusion de l'entité commune PRODUIT
    spécialisation d'ENTREE/SORTIE en ENTREE et réunion à l'entité RECEPTION
    fusion de l'entité CLIENT (commune par PROVIENT)
FOURNISSEUR: fusion de l'entité commune FOURNISSEUR

4. Validation du modèle
Examen de sa cohérence avec d'autres documents tels que catalogues d'articles, demandes de prix, affectations des vendeurs, statistiques de ventes, etc.
Identification des objets communs aux modèles des autres domaines et intégration:
• Gestion financière:
    RECEPTION, LIVRAISON // ENTREE COMPTABLE
    FOURNISSEUR, CLIENT // COMPTE
    RAYON // COMPTE (de vente)
• Gestion du personnel:
    VENDEUR // EMPLOYE
Rédaction de la documentation du modèle
Interprétation du modèle pour les utilisateurs

[FIG. 4.4. – *Scénario d'élaboration du modèle conceptuel général d'un domaine.*]

2. *Analyse de chaque « entité » principale*

    2.1. Dans chaque ensemble, choisir les documents mettant le mieux en évidence la structure des données et les étudier en détail.

    2.2. Pour chacun de ces documents, établir une vue normale en analysant les propriétés, cardinalités et identifiants et en utilisant des transformations de dégroupement, décomposition et réduction.

    2.3. Intégrer les différentes vues appartenant à un même ensemble en utilisant des transformations de fusion et de réunion ; consulter les responsables pour résoudre les incohérences de noms, de significations, de cardinalités, d'identifiants ou de règles d'existence ; la vue intégrée ainsi obtenue précise la structure de l' « entité » correspondante du modèle global.

3. *Intégration au niveau du domaine*

    3.1. Intégrer les vues correspondant à chacun des ensembles précédents, au moyen de transformations de fusion et de réunion et en se guidant sur le modèle global de l'entreprise ; résoudre les incohérences en consultant les responsables.

4. *Validations au niveau du domaine*

    4.1. Valider sommairement le modèle général obtenu en s'assurant qu'il est possible d'en déduire les vues contenues dans les documents et spécifications non utilisés pour l'élaborer.

    4.2. Valider le modèle général du domaine en l'intégrant aux modèles des autres domaines, détailler les entités communes et résoudre les incohérences.

    4.3. Documenter le modèle général du domaine en définissant les entités, en expliquant les relations et cardinalités qui le nécessitent, en décrivant sommairement les règles d'existence pertinentes et en notant les populations.

    4.4. Valider le modèle et sa documentation auprès des responsables.

De nombreuses variantes de cette démarche sont possibles.

Par exemple, dans le cas d'un domaine étendu, il peut être utile de le découper en sous-domaines et de procéder à une intégration en deux temps, d'abord au niveau des sous-domaines, puis au niveau du domaine.

Une autre approche consiste à bâtir progressivement le modèle, en partant d'un noyau initial construit autour de quelques entités principales, puis en y intégrant au fur et à mesure les vues correspondant aux autres entités.

Modèle conceptuel détaillé d'un domaine

Le *modèle conceptuel détaillé d'un domaine* (*fig. 4.5* et *4.6*) est établi lors de l'élaboration de l'*architecture des systèmes de ce domaine* et il est mis au point au fur et à mesure que sont élaborées des *spécifications* pour des tranches de réalisation.

Un tel modèle permettra d'identifier précisément, par des vues appropriées, tous les composants logiques des systèmes du domaine, puis de les spécifier en détail dans les phases suivantes. Il doit donc contenir toutes les informations pertinentes, notamment en ce qui concerne les propriétés, les identifiants et les règles de traitement.

Le modèle conceptuel détaillé du domaine s'obtient en précisant dans tous ses détails le modèle général du domaine, puis en vérifiant qu'au niveau logique, il permet effectivement de satisfaire tous les besoins d'accès et de traitements.

Une démarche possible d'élaboration du modèle détaillé est la suivante (*fig. 4.7*) :

1. *Recherche des propriétés*

> Inventorier systématiquement, à partir de documents déjà rassemblés, toutes les propriétés primaires et les fusionner aux objets du modèle général, au besoin en créant de nouveaux objets.

2. *Recherche des identifiants*

> Établir tous les identifiants, à partir d'identifiants couramment utilisés, ou par composition de propriétés ou d'autres identifiants.

3. *Recherche des règles de traitement*

> Définir toutes les propriétés du modèle, notamment en précisant toutes les règles de traitement applicables : règles de domaine, de cohérence, de calcul et d'existence.

DISTRIBUTION DE MATERIEL

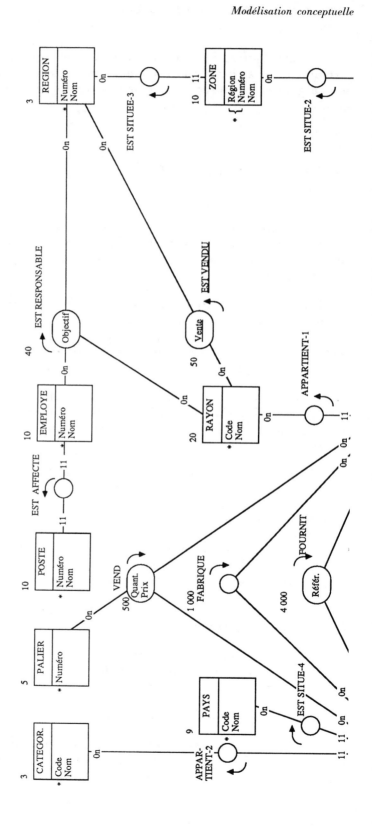

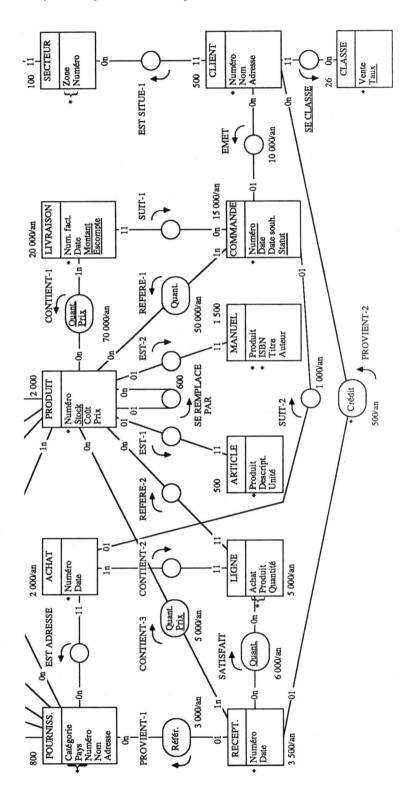

[Fig 4.5. – *Modèle conceptuel détaillé : diagramme entité-relation.*]

Quant à la mise au point du modèle conceptuel détaillé, elle découle directement de la modélisation logique. Celle-ci permet en effet d'identifier des propriétés ou objets manquants (ou au contraire inutiles), de vérifier les identifiants et de vérifier les cardinalités.

DISTRIBUTION DE MATERIEL

OBJET/PROPRIETE   REGLE DE TRAITEMENT

CLASSE

Taux
= 0 si Vente ≤ Minimum
= Coefficient . (Vente - Minimum) arrondi; le maximum est 0,25

COMMANDE

Numéro   = 1 + Numéro précédent
Date souhaitée   ≥ 2 + Date du jour
Statut   = "A LIVRER" si rien n'a été livré
                     "PARTIEL" si une partie a été livrée
                     "COMPLET" si tout a été livré

PRODUIT   Un PRODUIT est soit un ARTICLE, soit un MANUEL
Prix   ≥ Coût . (1 + Profit)
Stock   = Ancien Stock - Quantité livrée (après une LIVRAISON)
                   = Ancien Stock + Quantité reçue (après une RECEPTION)

SE REMPLACE PAR   Si le Stock d'un PRODUIT est 0 et s'il existe un PRODUIT par lequel il SE REMPLACE, on le propose au client

ETC

[FIG 4.6. – *Modèle conceptuel détaillé : règles de traitement.*]

Indépendamment de ces validations, il est bon de s'assurer du mieux possible que le modèle conceptuel pourra répondre à des besoins d'information non encore identifiés. Une vérification utile consiste à s'assurer que toutes les notions courantes ayant trait au domaine concerné se retrouvent dans le modèle conceptuel ou s'en déduisent par des définitions appropriées (*fig. 4.8*).

1. Entités PRODUIT, ARTICLE et MANUEL

Fusion des propriétés des fichiers produits
Identification de la relation SE REMPLACE PAR (suite à la modélisation logique de la fonction "Prendre la commande")
Distinction entre les relations VEND, FABRIQUE et FOURNIT (suite à la modélisation logique de la fonction "Acheter un produit")

2. Entités CLIENT et REGION

Décomposition du code géographique et création de SECTEUR et ZONE
Fusion des propriétés des fichiers clients
Règle de calcul du Taux d'escompte et création de l'entité CLASSE

3. Entité VENDEUR

Choix d'identifiant de VENDEUR et généralisation en EMPLOYE
Création de la relation EST VENDU (suite à la modélisation logique de la fonction "Evaluer le vendeur") et règle de calcul de Vente

4. Entités COMMANDE et LIVRAISON

Examen des documents et fusions des propriétés
Identification de la relation SUIT-2 (suite à la modélisation logique de la fonction "Prendre la commande")
Règles de calcul de Prix, Escompte, Statut commande et Quantité livrée

5. Entités ACHAT et FOURNISSEUR

Examen des fichiers fournisseurs et fusion des propriétés
Décomposition et création des entités CATEGORIE et PAYS

6. Entité RECEPTION

Examen des documents et fusion des propriétés
Création de l'entité LIGNE pour préciser la relation SATISFAIT
Règle de calcul de Quantité dans la relation SATISFAIT

7. Règles de traitement

Recherche systématique des règles de traitement applicables à chaque propriété de chaque objet
Addition de règles de traitement lors de la modélisation logique des différentes fonctions

[Fig. 4.7. – *Scénario d'élaboration et de mise au point du modèle conceptuel détaillé.*]

DISTRIBUTION DE MATERIEL

OBJET/PROPRIETE	DEFINITION
COMMANDE	
Commande au comptoir	= COMMANDE qui n'est pas EMISE par un CLIENT identifié
Commande à suivre	= COMMANDE qui donne lieu à un ACHAT spécifique (par la relation SUIT-2)
REFERE-1,CONTIENT-1	
Reste à livrer	= Quantité d'un PRODUIT restant à livrer sur une COMMANDE
	= différence entre la Quantité de la COMMANDE et le total des Quantités des LIVRAISONS sur cette COMMANDE
LIVRAISON	
Région d'une LIVRAISON	= REGION du CLIENT qui a EMIS la COMMANDE faisant l'objet de la LIVRAISON
EDITEUR	= FOURNISSEUR de la Catég. "EDITEUR"
RETOUR CLIENT	= RECEPTION qui PROVIENT d'un CLIENT
ETC	

[FIG 4.8. – *Vérification que le modèle conceptuel détaillé est complet.*]

4.4. VALIDATIONS AUPRÈS DES INTERVENANTS

Les modèles conceptuels obtenus aux différentes phases de modélisation doivent être validés pour s'assurer qu'ils représentent fidèlement les secteurs d'activité analysés et les règles en usage, tels qu'ils apparaissent aux responsables et utilisateurs du domaine (ainsi qu'aux analystes familiers avec la situation), ou encore tels qu'ils sont souhaités par la direction.

Ces validations sont d'autant plus nécessaires que, souvent, les informations écrites ne sont pas assez précises et cohérentes pour permettre de choisir entre différentes versions possibles du modèle conceptuel sous-jacent. Elles présentent aussi l'avantage de faire participer les utilisateurs à l'élaboration du modèle et de favoriser ainsi une bonne compréhension de celui-ci. Enfin, elles incitent le modélisateur à utiliser les termes et concepts de ses interlocuteurs, donnant ainsi au modèle la signification la plus concrète possible.

Typiquement, une validation consiste à présenter une version graphique ou narrative du modèle et à l'interpréter en langage courant au niveau des entités, relations, propriétés, cardinalités, règles de traitement et des conséquences qui en découlent. Le modèle peut être modifié en fonction des précisions apportées par les interlocuteurs.

En pratique, il est préférable de procéder à des validations partielles. En raison du partage des responsabilités, chaque interlocuteur ne s'intéresse qu'à la partie du modèle conceptuel qui correspond à ses fonctions. La démarche présentée dans ce chapitre se prête bien à de telles validations.

4.5. MISE EN PRATIQUE DE LA MODÉLISATION CONCEPTUELLE

Pour élaborer un modèle conceptuel, l'analyste doit surmonter deux sortes de difficultés.

La première difficulté est d'ordre technique : il s'agit de choisir parmi les notions analysées celles qui vont devenir des entités, des relations, des propriétés ou des règles de traitement. La démarche proposée dans le présent chapitre guide l'analyste. L'expérience aidant, il se constituera un portefeuille de modèles plus ou moins standards représentant des situations typiques que l'on retrouve sous des apparences diverses, dans des contextes différents ; ceci lui permettra de discerner de plus en plus facilement, dans n'importe quelle situation, les composants essentiels du modèle sous-jacent.

La deuxième difficulté est liée au contexte de l'entreprise étudiée. Un modèle conceptuel ne traduit pas seulement des réalités tangibles des domaines examinés mais aussi la manière dont l'entreprise perçoit et organise ces réalités. La modélisation est d'autant plus facile que les notions et règles à modéliser sont précises, bien connues et partagées par tous les intervenants. Par contre, si certaines de ces conditions manquent, il peut être difficile d'élaborer un modèle conceptuel formé d'objets acceptables par tous les intervenants. Il pourra être nécessaire de conserver des objets spécialisés à l'usage de chacun des groupes d'intervenants ; certaines notions ne pourront pas être décomposées de manière satisfaisante. Le modèle obtenu sera plus « redondant » et moins « normal » mais plus conforme aux perceptions des personnes en place.

5. Modélisation logique

« Une autre question qui se pose au sujet de
la représentation des connaissances est celle de la
modularité. Est-il facile ou difficile d'introduire de
nouvelles connaissances ? Est-il facile ou difficile de
modifier d'anciennes connaissances ? »
D. HOFSTADTER, Gödel, Escher, Bach.

Ce chapitre présente brièvement le modèle logique d'un système d'information. La terminologie (incluant le vocable « logique ») et les concepts sont ceux de l'analyse structurée. Le formalisme est celui de Gane et Sarson : celui-ci offre l'intérêt de mettre visuellement en évidence les composants d'un modèle logique (ou physique) et leurs interrelations ; de plus, il permet de décrire de façon cohérente le système aux niveaux de généralité et de détail requis par l'analyse.

Cette présentation est un survol où l'on ne fait que rappeler des concepts exposés dans d'autres ouvrages. Elle se propose seulement de montrer que les composants du modèle logique se décrivent de façon naturelle à l'aide du modèle conceptuel et d'esquisser une approche de modélisation logique qui en tire parti. Bien entendu, les principes exposés sont utilisables indépendamment du formalisme employé.

5.1. COMPOSANTS DU MODÈLE LOGIQUE

Diagrammes de flux d'information

Un *diagramme logique de flux d'information* ou DFI logique montre les interrelations qui existent entre les composants d'un système : fonctions, dépôts et flux ainsi qu'avec son environnement : systèmes ou intervenant externes. Les DFI sont établis à différents niveaux de détail. Le DFI de plus haut niveau est appelé le *diagramme des fonctions générales* du système (*fig. 5.1*), tandis que les DFI intermédiaires sont appelés *diagrammes de niveau* (*fig. 5.2*). Aux niveaux plus bas apparaissent des fonctions non décomposées, les fonctions primaires (*fig. 5.3*).

Dépôts et vues logiques

Un *dépôt* (ou *stockage*) *logique* est un sous-ensemble de données au repos, généralement reliées entre elles, utilisé ou affecté par un ensemble de fonctions.

Le contenu d'un dépôt est défini par une vue du modèle conceptuel du domaine, c'est-à-dire par un sous-modèle (*fig. 5.4*), ou plus généralement par un modèle dérivé du modèle conceptuel (*fig. 5.5* et *5.6*).

La vue d'un dépôt contient les objets et propriétés pouvant être utilisés ou affectés par les fonctions d'un système. Les occurrences de ces objets sont considérées comme enregistrées à l'avance et donc immédiatement disponibles pour les fonctions qui les utilisent.

Une *vue logique sur un dépôt* est une vue dérivée sur les données du dépôt (*fig. 5.7* à *5.10*). Dans un DFI, une vue logique s'utilise et se représente comme un dépôt (*fig. 5.3*), mais ses données sont considérées comme générées à la demande chaque fois qu'une fonction l'utilise. Pour rappeler l'existence de ces calculs préliminaires, le nom de la vue logique est souligné dans le diagramme de flux.

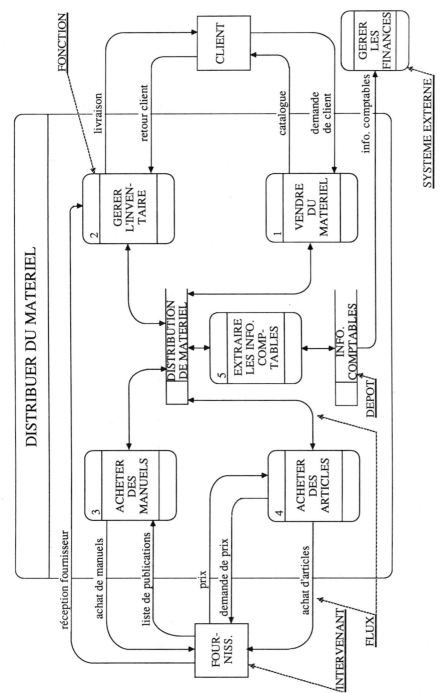

[Fig 5.1. – *DFI logique : diagramme des fonctions générales.*]

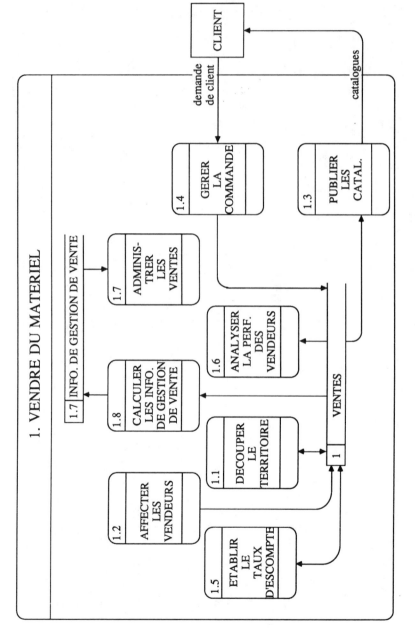

[Fig 5.2. – *DFI logique : diagramme de niveau de la fonction 1 : vendre du matériel.*]

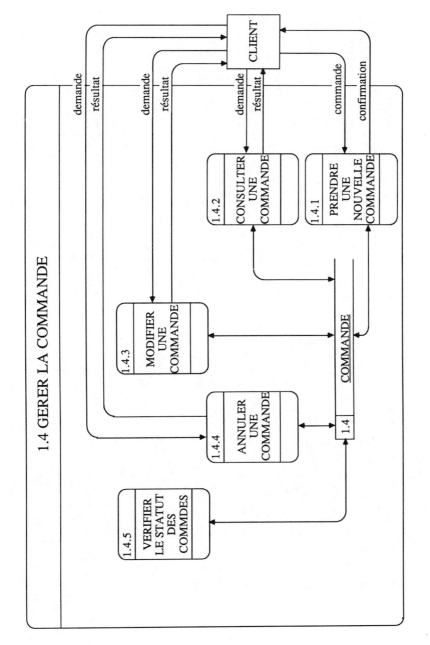

[Fig 5.3. – *DFI logique : fonctions primaires.*]

DISTRIBUTION DE MATERIEL

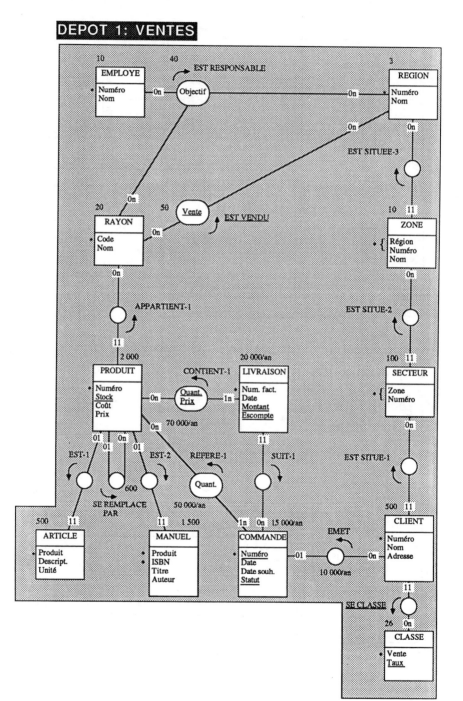

[Fig 5.4. – *Contenu du dépôt 1 : ventes.*]

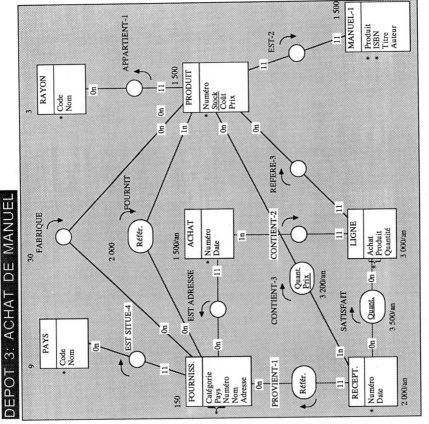

[FIG 5.5. – *Contenu du dépôt 3 : achat de manuel.*]

REGLES DE TRAITEMENT:

Cette vue est une sélection du modèle conceptuel; il faut sélectionner:

• un FOURNISSEUR de la Catégorie "Editeur" ou "Distributeur"

• un PRODUIT qui EST un MANUEL (noter les cardinalités)

• un ACHAT de MANUEL

• etc.

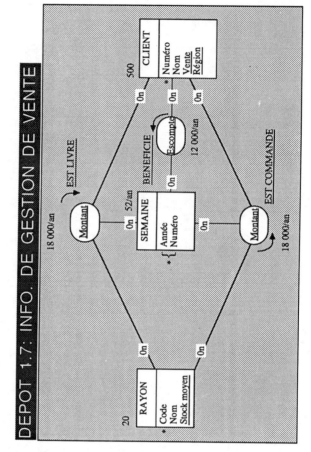

+ REGLES DE CALCUL ET DE COHERENCE:

Cette vue est obtenue par augmentation du
modèle conceptuel et sélection des objets
augmentés; les propriétés s'obtiennent ainsi:

Montant (EST COMMANDE)
= Total des Montants des COMMANDES
par RAYON, par CLIENT, par SEMAINE

Stock moyen
= Valeur moyenne du Stock du RAYON
pour l'année en cours

Escompte
= Total des Escomptes par CLIENT, par
SEMAINE de livraison

Vente (CLIENT)
= Total des Montants (EST LIVRE)

Etc.

[Fig 5.6. – *Contenu du dépôt 1.7 : information de gestion de vente.*]

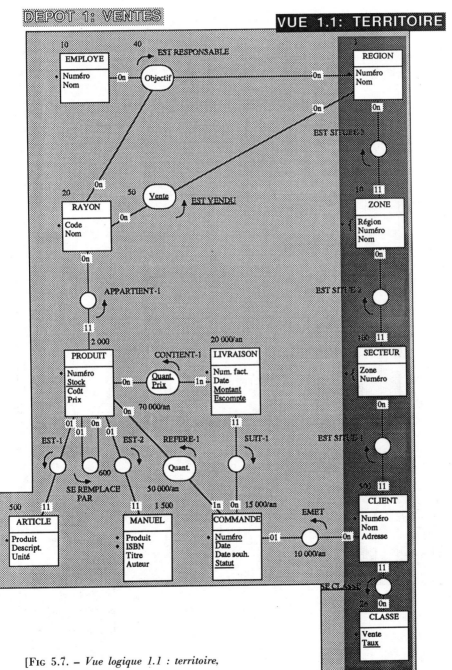

[Fig 5.7. – *Vue logique 1.1 : territoire,*
    sur le dépôt 1 : ventes.]

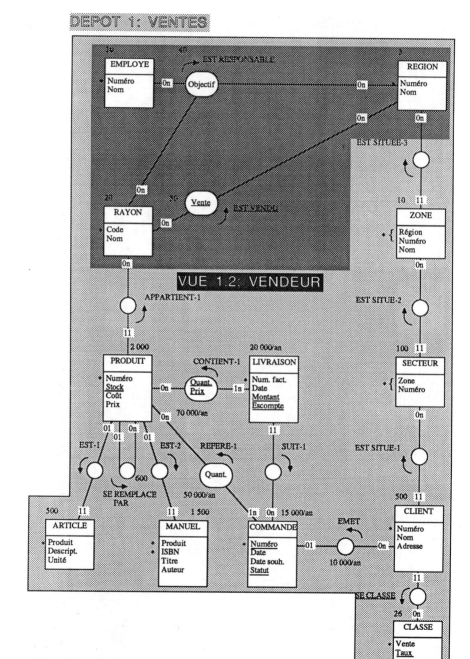

[Fig 5.8. – *Vue logique 1.2 : vendeur,*
sur le dépôt 1 : ventes.]

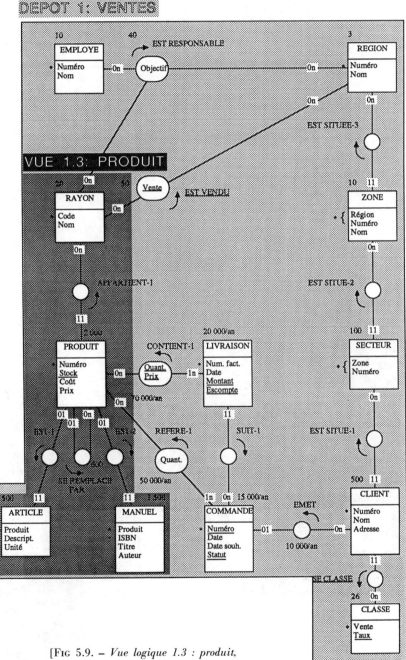

[Fig 5.9. – *Vue logique 1.3 : produit,*
sur le dépôt 1 : ventes.]

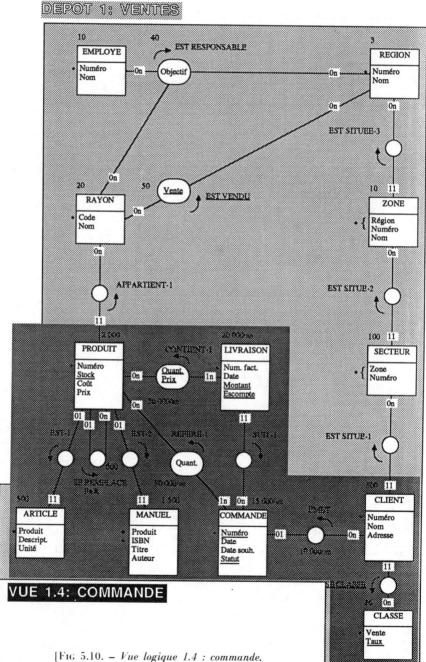

[Fig 5.10. – *Vue logique 1.4 : commande,
sur le dépôt 1 : ventes.*]

Flux

Un *flux logique* est un sous-ensemble de données en mouvement, généralement reliées entre elles, échangé entre une fonction et un dépôt, un intervenant, une autre fonction ou un autre système.

Le contenu d'un flux est défini par une vue du modèle conceptuel du domaine (*fig. 5.11* à *5.13*) contenant les objets et propriétés transportés par ce flux. Cette vue est un sous-modèle ou plus généralement un modèle dérivé du modèle conceptuel. La vue d'un flux ne peut être établie commodément que pour un *flux primaire,* c'est-à-dire un flux de plus bas niveau.

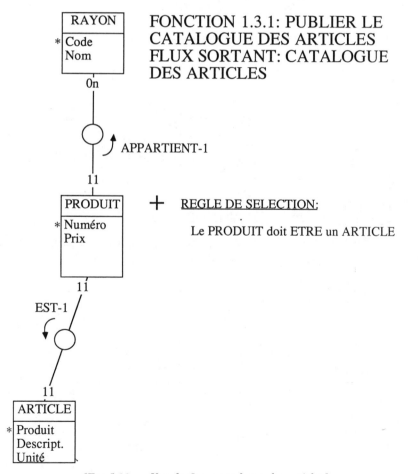

[Fig 5.11. – *Vue de flux : catalogue des articles.*]

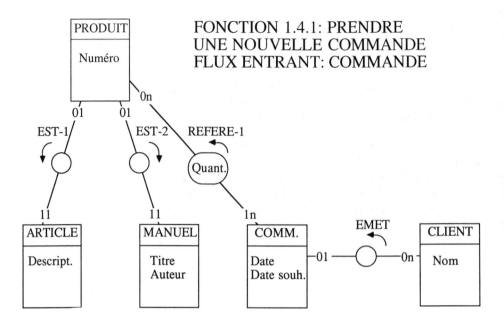

FONCTION 1.4.1: PRENDRE
UNE NOUVELLE COMMANDE
FLUX ENTRANT: COMMANDE

[FIG 5.12. – *Vue de flux : commande.*]

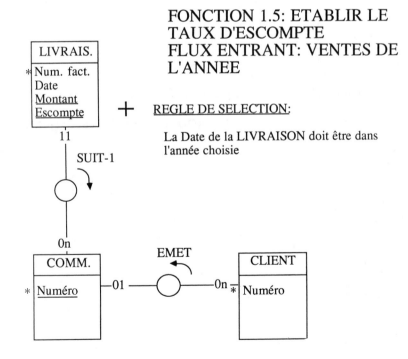

FONCTION 1.5: ETABLIR LE
TAUX D'ESCOMPTE
FLUX ENTRANT: VENTES DE
L'ANNEE

REGLE DE SELECTION:

La Date de la LIVRAISON doit être dans
l'année choisie

[FIG 5.13. – *Vue de flux : ventes de l'année.*]

Fonctions

Définitions

Une *fonction logique* est un ensemble de traitements qui produit des flux sortants à partir de flux entrants, et qui peut utiliser ou affecter les contenus de dépôts, directement ou par l'intermédiaire de vues logiques (*fig. 5.1 à 5.3*).

Les *flux* reliant une fonction à un dépôt sont ses *flux internes* ; les autres flux sont ses *flux externes*.

Il est commode de classer les fonctions selon leur niveau en *fonctions générales*, *fonctions de niveau intermédiaire* et *fonctions primaires*.

Une fonction primaire est une fonction de plus bas niveau, c'est-à-dire une fonction qui, pour atteindre son but, ne doit pas être interrompue avant d'avoir produit les flux sortants requis, ou les modifications requises au contenu des dépôts.

Contrairement aux fonctions de niveau supérieur, il est possible de décrire précisément une fonction primaire : son diagramme d'accès montre les objets du modèle conceptuel qu'elle manipule ; ses spécifications structurées montrent l'enchaînement des modules d'accès et modules de traitement dont elle se compose, avec leurs conditions d'exécution.

De plus, au niveau d'une fonction primaire, il est possible d'identifier les *flux de contrôle*, c'est-à-dire ceux qui activent la fonction et lui fournissent des paramètres pour le traitement, par exemple, la valeur de critères de sélection ou de coefficients pour des calculs. Au plan logique, les flux de contrôle correspondent aux événements, ou stimuli, qui déclenchent une réaction de la part de l'entreprise.

Il est commode de distinguer différentes sortes de fonctions primaires, selon leur but principal.

Une *fonction primaire de consultation (fig. 5.14)* consulte le contenu de dépôts et produit des flux sortants externes, sans changer le contenu des dépôts.

Une *fonction primaire d'entrée de données* (*fig. 5.15*) change le contenu de dépôts à partir de flux entrants externes.

Une *fonction primaire de calcul* (*fig. 5.16*) change le contenu de dépôts à partir des données de dépôts.

Les fonctions primaires considérées dans ce chapitre sont généralement reliées à un seul dépôt.

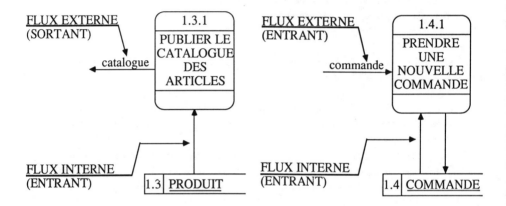

[Fig 5.14. – *Fonction primaire de consultation.*]   [Fig 5.15. – *Fonction primaire d'entrée de données.*]

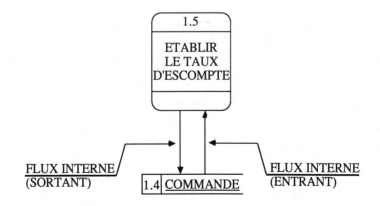

[Fig 5.16. – *Fonction primaire de calcul.*]

Diagrammes d'accès

Le *diagramme d'accès* (*fig. 5.17* à *5.19*) d'une fonction primaire est constitué par la vue du dépôt associée à cette fonction, avec l'indication des chemins d'accès aux différents objets et des types d'accès à ces objets.

Un *chemin d'accès* est représenté par un ensemble de flèches. L'accès peut se faire directement à un objet, ou par l'intermédiaire d'un ou plusieurs autres objets. Les signes « ° » indiquent les propriétés autres que des identifiants qui sont utilisées comme critères d'accès. Les flèches indiquent les relations (et propriétés implicites) qui sont utilisées comme critères d'accès.

FONCTION 1.3.1:
PUBLIER LE CATALOGUE
DES ARTICLES
VUE LOGIQUE 1.3: <u>PRODUIT</u>

<u>CRITERE D'ACCES</u>:

<u>Sélection</u>:

Le PRODUIT doit ETRE un ARTICLE

<u>Séquence</u>:

Nom de RAYON
Description de PRODUIT

LEGENDE

Ⓒ Consultation

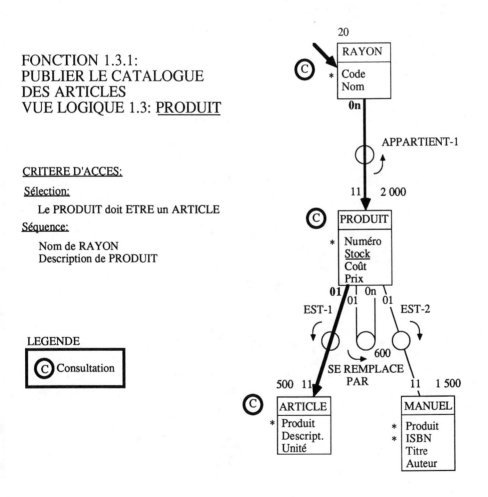

[Fɪɢ 5.17. – *Diagramme d'accès de fonction primaire de consultation.*]

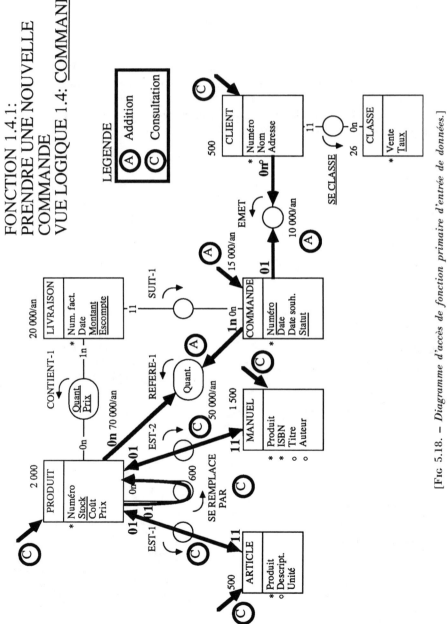

[Fig 5.18. – *Diagramme d'accès de fonction primaire d'entrée de données.*]

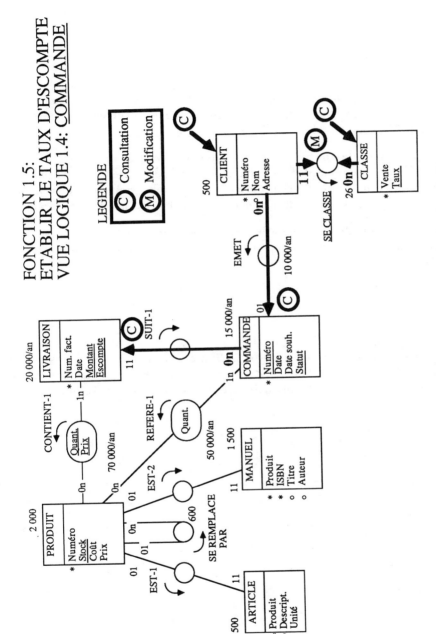

[Fig 5.19. – *Diagramme d'accès de fonction primaire de calcul.*]

Les accès se distinguent aussi en fonction du *type d'accès*, qui peut être généralement une addition, une consultation, une destruction ou une modification.

Modules d'accès

Un *module d'accès* (*fig. 5.20* à *5.22*) est une sous-fonction élémentaire qui ajoute, consulte, détruit ou modifie certaines occurrences d'un objet du modèle conceptuel.

Le choix des occurrences à traiter se fait par un *critère d'accès*, c'est-à-dire une règle de sélection qui spécifie les valeurs que certaines propriétés ou groupes de propriétés de l'objet (souvent l'identifiant) doivent avoir ainsi qu'éventuellement, la séquence des occurrences traitées.

Les cardinalités d'un accès sont les nombres possibles d'occurrences traitées. Elles s'expriment comme les cardinalités d'une branche de relation.

Modules de traitement

Un *module de traitement* (*fig. 5.20* à *5.22*) est une sous-fonction qui met en œuvre des modules d'accès, applique des règles de traitement ou effectue des traitements auxiliaires, tels que tris ou impression.

FONCTION 1.3.1:
PUBLIER LE CATALOGUE DES ARTICLES

MODULE/OBJET/PROPRIETE	CONDITION OU TRAITEMENT
ⓣ 1 Retrouver les données	
ⓣ 1.1 Traiter RAYON	
ⓒ 1.1.1 Consulter RAYON	Critère d'accès: tous les RAYONS (0 à n fois)
Code Nom }	Retrouver ces données
ⓣ 1.1.2 Traiter ARTICLE	
ⓒ 1.1.2.1 Consulter APPAR- TIENT-1, PRODUIT	Critère d'accès: les PRODUITS du RAYON (0 à n fois)
Numéro de PRODUIT Prix }	Retrouver ces données
ⓒ 1.1.2.2 Consulter EST-1, ARTICLE	Critère d'accès: le PRODUIT est un ARTICLE (0 ou 1 fois)
Description Unité }	Retrouver ces données
ⓣ 2 Trier les données	Trier par Nom de RAYON et Description d'ARTICLE
ⓣ 3 Imprimer les données	

LEGENDE

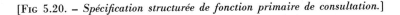

[FIG 5.20. – *Spécification structurée de fonction primaire de consultation.*]

FONCTION 1.4.1:
PRENDRE UNE

MODULE/OBJET/PROPRIETE	CONDITION OU TRAITEMENT
Ⓣ 1 Traiter COMMANDE	Saisir ou générer les données de l'entité COMMANDE
Numéro	Numéro = Numéro précédent + 1
Date	Date = Date du jour
	Vérifier que :
Date souhaitée	Date souhaitée ≥ Date du jour + 2
Statut	Statut = "A LIVRER"
Ⓐ 2 Ajouter COMMANDE	Critère d'accès: Numéro
Numéro	
Date	
Date souhaitée }	Ajouter ces données
Statut	
Ⓒ 3 Consulter CLIENT	Retrouver et afficher les données du CLIENT qui a EMIS la COMMANDE, s'il existe (0 ou 1 fois)
Numéro }	Utiliser ces critères d'accès
Nom	
Numéro	
Nom }	Afficher ces données
Adresse	
Ⓐ 4 Ajouter EMET	Ajouter si le CLIENT existe (0 ou 1 fois)
Commande }	Critère d'accès: Commande.Client
Client	Ajouter ces données

LEGENDE

TYPE DE MODULE	
Ⓐ	Addition
Ⓒ	Consultation
Ⓓ	Destruction
Ⓜ	Modification
Ⓣ	Traitement

[FIG 5.21. – *Spécification structurée*

NOUVELLE COMMANDE

MODULE/OBJET/PROPRIETE	CONDITION OU TRAITEMENT

Ⓣ 5 Traiter PRODUIT — (1 à n fois)

Ⓒ 5.1 Consulter PRODUIT, ARTICLE, MANUEL, EST-1, EST-2 — Retrouver et afficher les données des PRODUITS faisant l'objet de la COMMANDE

Numéro de PRODUIT
Description de l'ARTICLE
Titre du MANUEL
Auteur du MANUEL } Utiliser ces critères d'accès

Numéro de PRODUIT
Stock
Prix } Afficher ces données

Description
Unité } Afficher ces données pour un ARTICLE (0 ou 1 fois)

ISBN
Titre
Auteur } Afficher ces données pour un MANUEL (0 ou 1 fois)

Ⓣ 5.2 Traiter REFERE-1 — Saisir les données de REFERE-1

Quantité
Disponibilité

Vérifier que: Quantité > 0
Calculer:
Disponibilité = Stock - Quantité

Ⓐ 5.2.1 Ajouter REFERE-1 — Si: Disponibilité ≥ 0 et si le choix est confirmé

Commande
Produit
Quantité } Critère d'accès: Commande.Produit
Ajouter ces données

Ⓒ 5.2.2 Consulter SE REMPLACE PAR, PRODUIT — Si: Disponibilité < 0 (0 ou 1 fois) Critère d'accès: Produit.Produit

Numéro de PRODUIT — Aller à 5.1 avec le nouveau Numéro de PRODUIT, s'il existe

de fonction primaire d'entrée de données.]

FONCTION 1.5:
ETABLIR LE TAUX D'ESCOMPTE

MODULE/OBJET/PROPRIETE	CONDITION OU TRAITEMENT

 T 1 Traiter CLIENT

C 1.1 Consulter CLIENT — Critère d'accès: tous les CLIENTS
(0 à n fois)

T 1.1.1 <u>Vente au CLIENT</u> — Calculer: Vente au CLIENT = 0

C 1.1.2 Consulter COMMANDE — Critère d'accès: la COMMANDE est EMISE
par le CLIENT (0 à n fois)

1.1.2.1 Consulter LIVRAISON — Critère d'accès: la LIVRAISON SUIT la
COMMANDE et est Datée de l'année concernée

Date de LIVRAISON
<u>Vente au CLIENT</u>

Calculer: Vente au CLIENT =
Vente au CLIENT + Montant de LIVRAISON

C 1.2 Consulter CLASSE — Critère d'accès: la CLASSE correspond à la
Vente au CLIENT

Vente de la CLASSE

D 1.3 Détruire SE CLASSE — Critère d'accès: Client

Numéro du CLIENT
Vente de la CLASSE } Détruire l'ancienne occurrence de la
relation SE CLASSE

 A 1.4 Ajouter SE CLASSE — Critère d'accès: Client.Classe

Numéro du CLIENT
Vente de la CLASSE } Ajouter la nouvelle occurrence de la
relation SE CLASSE

LEGENDE

TYPE DE MODULE
A Addition
C Consultation
D Destruction
M Modification
T Traitement

[FIG 5.22. – *Spécification structurée de fonction primaire de calcul.*]

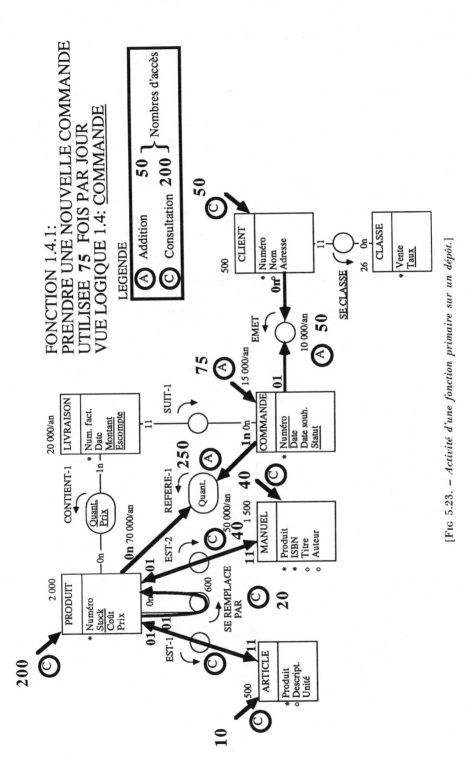

[Fig 5.23. – *Activité d'une fonction primaire sur un dépôt.*]

Calcul d'activité d'un modèle logique

L'activité d'un modèle logique se caractérise par les activités de ses fonctions, de ses vues logiques et de ses dépôts. *L'activité d'une fonction primaire* sur une vue logique ou un dépôt se décrit en estimant le nombre d'accès de chaque type qu'elle exécute sur les différents objets dans une période de temps donnée (*fig. 5.23* et *5.24*).

L'activité d'une vue logique ou *d'un dépôt* est la somme des activités de l'ensemble des fonctions qui l'utilisent (*fig. 5.25*).

FONCTION 1.4.1: PRENDRE UNE NOUVELLE COMMANDE
VUE LOGIQUE 1.4: <u>COMMANDE</u>

OBJETS	ACCES (par jour)			
	ADDITION	CONSULT.	DESTRUCTION	MODIFIC.
CLIENT		50		
COMMANDE	75			
LIVRAISON				
PRODUIT		200		
ARTICLE		10		
MANUEL		40		
EMET	50			
par CLIENT				
par COMMANDE				
REFERE-1	250			
par COMMANDE				
par PRODUIT				
EST-1				
par PRODUIT		70		
par ARTICLE		10		
EST-2				
par PRODUIT		130		
par MANUEL		40		
SE REMPLACE PAR				
par REMPLACE		20		
par REMPLACANT				
SUIT-1				
par LIVRAISON				
par COMMANDE				
CONTIENT-1				
par PRODUIT				
par LIVRAISON				

[FIG 5.24. – *Activité d'une fonction primaire sur une vue logique.*]

VUE LOGIQUE 1.4: COMMANDE

OBJETS	ACCES TOT. (par jour)				ACCES PAR FONCTION (par jour)																			
					1.4.1				1.4.2				1.4.3				1.4.4				1.4.5			
	A	C	D	M	A	C	D	M	A	C	D	M	A	C	D	M	A	C	D	M	A	C	D	M
CLIENT	75	62			75	50				5				5				2				200		
COMMANDE		207	3	7						7						7			3			200		
LIVRAISON		16								8				8										
PRODUIT		236				200				15				15				6						
ARTICLE		13				10				1				1				1						
MANUEL	50	50	2		50	40				4				4				2	2					
ÉMET																								
par CLIENT		12								5				5			2	2						
par COMMANDE	253	17			250					7				7			3	3						
RÉFÈRE-1																								
par COMMANDE	3	633	6	15					3	15				15	3	15		3	3			600		
par PRODUIT																								
EST-1																								
par PRODUIT		73				70				1				1				1						
par ARTICLE		10				10																		
EST-2																								
par PRODUIT		140				130				4				4				2						
par MANUEL		40				40																		
SE REMPLACE PAR																								
par REMPLACÉ		20				20																		
par REMPLAÇANT																								
SUIT-1																								
par LIVRAISON		216								8				8								200		
par COMMANDE																								
CONTIENT-1																								
par PRODUIT		648								24				24								600		
par LIVRAISON																								

LEGENDE

A   Addition
C   Consultation
D   Destruction
M   Modification

[FIG 5.25. – Activité d'une vue logique.]

Des niveaux d'activités élevés associés à des traitements complexes indiquent des problèmes potentiels de performance. Il peut être nécessaire de modifier le dépôt pour les éviter (*fig. 5.26*).

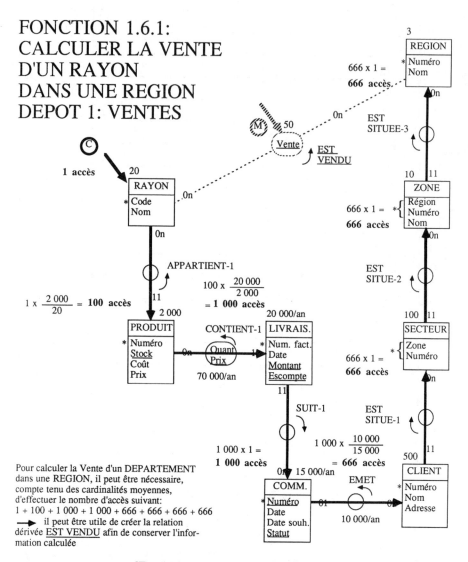

[FIG 5.26. – *Augmentation d'un dépôt.*]

5.2. OBSERVATIONS SUR LA MODÉLISATION LOGIQUE

Diagrammes logiques de flux d'information

DF1)   Les DFI logiques sont préparés de façon à mettre en évidence la hiérarchie de fonctions du système (voir l'ouvrage de Gane et Sarson).

Dépôts et vues logiques

DE1)   Dans un modèle logique, il est toujours possible de considérer au départ qu'il existe un dépôt unique de haut niveau auquel les fonctions accèdent directement.

DE2)   Compte tenu de l'activité du modèle logique obtenu, il est souvent nécessaire de subdiviser ce dépôt en dépôts distincts ayant chacun une activité compatible avec une performance raisonnable. Les transformations les plus utiles sont la *partition en domaines* au moyen de sous-modèles (*fig. 5.4*) ou de modèles partiels (*fig. 5.5*), la création de *vues résumées* (*fig. 5.6*) ou de *vues augmentées* (*fig. 5.26*). Les fonctions de calcul qui réalisent ces transformations sont ajoutées au modèle logique. Les dépôts obtenus ont généralement des objets ou propriétés en commun.

DE3)   Lorsqu'un dépôt est utilisé par un grand nombre de fonctions, il peut être utile de définir des vues logiques communes à plusieurs fonctions (*fig. 5.18* et *5.19*). Des vues logiques différentes ont souvent des objets ou propriétés communes (*fig. 5.8* à *5.11*).

Flux

FL1)   Les flux et vues logiques associés à une même fonction doivent être compatibles : les vues sortantes doivent pouvoir être dérivées des vues entrantes (rapprocher les *fig. 5.11* à *5.13* respectivement des *fig. 5.17* à *5.19*). Cette règle est dite règle de validation des modèles externes.

Fonctions

Fonctions primaires et diagrammes d'accès

(FP1)   Une fonction primaire est constituée par une liste structurée de modules d'accès et de traitement (*fig. 5.20* à *5.22*) dont l'enchaînement correspond aux chemins du diagramme d'accès (*fig. 5.17* à *5.19*).

(FP2)   Une fonction primaire comprend les modules d'accès requis par son diagramme d'accès.

(FP3)   Une fonction primaire contient les modules de traitement requis pour appliquer les règles de traitement permettant de produire ses flux sortants.

Modules d'accès

(MA1)   Il est utile de vérifier si chaque objet (ou groupe d'objets reliés) du modèle conceptuel donne lieu à un module d'accès de chaque type, inclus dans une fonction primaire. Ce n'est cependant pas obligatoire.

(MA2)   Les cardinalités d'un accès à un objet par son identifiant sont 01 (*fig. 5.27*).

(MA3)   Les cardinalités d'un accès à un objet par une propriété autre que l'identifiant sont 0N (*fig. 5.28*).

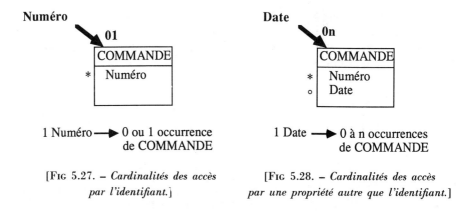

[FIG 5.27. – *Cardinalités des accès par l'identifiant.*]

[FIG 5.28. – *Cardinalités des accès par une propriété autre que l'identifiant.*]

(MA4)   Les cardinalités d'un accès à une relation sont égales aux cardinalités de la branche par laquelle se fait l'accès (*fig. 5.29*).

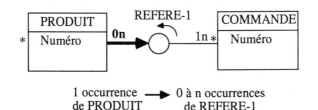

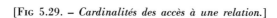

[FIG 5.29. – *Cardinalités des accès à une relation.*]

MA5)   Les cardinalités d'un accès à une entité par une branche de relation sont 11 (*fig. 5.30*).

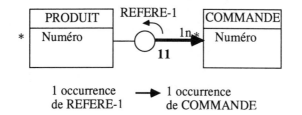

[FIG 5.30. – *Cardinalités des accès à une entité par une relation.*]

Modules de traitement

MT1)   Il est utile de vérifier si chaque règle de traitement du modèle conceptuel est mise en œuvre par au moins un module de traitement d'une fonction primaire.

5.3. REPRÉSENTATION

Diagrammes logiques de flux d'information

Les DFI logiques sont représentés en utilisant les conventions de Gane et Sarson, soit un rectangle allongé ouvert pour un dépôt ou une vue logique, un rectangle aux coins arrondis pour une fonction, un carré pour un intervenant externe et une ligne avec flèche pour un flux. La représentation graphique est accompagnée d'une description sommaire.

Dépôts et vues logiques

Dans les DFI, les dépôts et vues logiques se représentent par le même symbole mais le nom d'une vue logique est souligné. Leur contenu se représente comme une vue sur un modèle conceptuel.

Les dépôts et vues logiques peuvent être nommés selon les principaux objets qu'ils contiennent.

Flux

Un flux peut toujours être décrit en langage libre. Un flux primaire est représenté par une vue sur le modèle conceptuel.

Fonctions

Fonctions primaires

Une fonction peut toujours être décrite en langage libre. Une fonction primaire peut être représentée par une spécification structurée qui donne la liste des modules qui la composent, avec leurs conditions d'exécution.

Diagrammes d'accès

Un diagramme d'accès peut se représenter comme une vue à laquelle on ajoute des flèches en traits gras montrant les accès et chemins d'accès requis.

Un diagramme d'accès prend le nom de la fonction primaire qu'il représente.

Un accès est représenté par une flèche en trait gras pointant sur l'objet accédé, accompagnée du symbole du type d'accès. Si l'accès est fait sans intermédiaire, la flèche pointe directement sur l'objet. La propriété (ou le groupe de propriétés) servant de critère d'accès est marquée par un signe « ° » , sauf s'il s'agit de l'identifiant.

Si l'accès est réalisé par l'intermédiaire d'un autre objet relié au premier, la flèche est tracée sur la branche de la relation impliquée.

Si l'accès est réalisé par l'intermédiaire de deux ou plusieurs objets, on trace autant de flèches que nécessaire.

Modules d'accès

Un module d'accès peut être nommé d'après son type : addition, consultation, destruction ou modification et d'après l'objet auquel il accède.

Dans la spécification d'une fonction primaire, on peut indiquer en outre le critère d'accès utilisé et les cardinalités correspondantes.

Modules de traitement

Un module de traitement peut être nommé d'après son type : traitement d'une entrée, d'une sortie ou autre, et d'après les objets qu'il traite.

Dans la spécification d'une fonction primaire, on peut indiquer en outre la liste des règles de traitement mises en œuvre vis-à-vis des propriétés correspondantes.

5.4. DÉMARCHE

Généralités

La démarche de modélisation logique proposée dans cet ouvrage (*fig. 1.3*) consiste à élaborer par mises au point successives un modèle logique de plus en plus précis et complet (*fig. 5.31*).

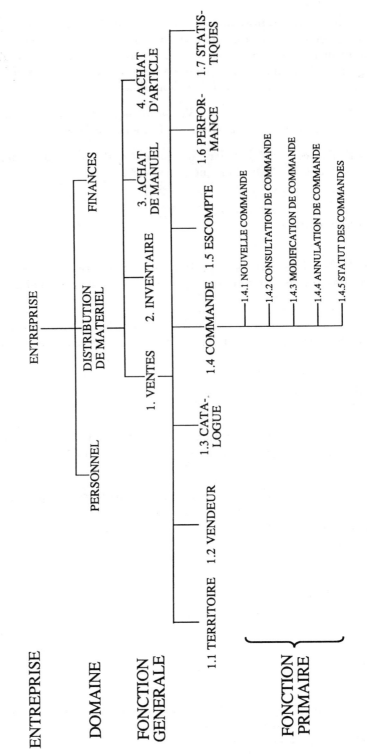

[FIG 5.31. – *Niveaux de modélisation logique.*]

Au *modèle logique global d'entreprise* (*fig. 5.32 et 5.33*), succèdent les *modèles logiques généraux par domaine* (*fig. 5.34* à *5.38*), puis le *modèle logique détaillé* (*fig. 5.1* à *5.4, 5.7* à *5.10, 5.39* et *5.40*) qui contient les DFI, les dépôts et vues logiques, ainsi que la description des fonctions primaires et des flux, et enfin les *spécifications logiques détaillées* d'une tranche de réalisation (*fig. 5.11* à *5.13, 5.17* à *5.22*).

Chaque phase de modélisation logique suit une phase de modélisation conceptuelle et comprend des étapes de recueil d'information, d'analyse et de conception.

Cette démarche fournit l'occasion de délimiter, de valider et de compléter le modèle conceptuel à des niveaux de détail de plus en plus précis, c'est-à-dire d'assurer son adéquation à la réalité et aux besoins d'information des utilisateurs du futur système.

De plus, dans les dernières phases, le modèle logique détaillé peut être lui-même validé au plan physique par l'élaboration et l'essai de prototypes.

Sources d'informations

Les sources d'informations déjà consultées pour élaborer le modèle conceptuel sont utiles à la conception du modèle logique d'un système, car elles permettent souvent de décrire les intervenants et systèmes externes ainsi que les flux qui leur sont associés.

Les *informations générales sur le fonctionnement de l'entreprise* indiquent souvent les rôles et modes de communication avec les intervenants externes.

Les *documents servant à saisir ou enregistrer des données* sont porteurs de flux et suggèrent des fonctions d'entrée de données.

Les *documents décrivant le fonctionnement des systèmes existants* et les *spécifications informatiques* donnent des renseignements sur la circulation manuelle ou informatique de l'information.

Ces renseignements doivent être complétés auprès des personnes capables de cerner les besoins d'information, suggérant ainsi de nouvelles fonctions.

Modèle logique global d'entreprise

Le *modèle logique global d'entreprise* se compose du diagramme des fonctions de l'entreprise (*fig. 5.32*) et du modèle des domaines de données de l'entreprise (*fig. 5.33*). Il est établi dès la phase du plan directeur. Dans le diagramme des fonctions de l'entreprise, les intervenants, systèmes externes, flux et fonctions se déduisent d'une première analyse de l'information obtenue lors du recueil initial d'information.

Les fonctions de ce diagramme sont rapprochées du modèle conceptuel global pour établir les contours approximatifs des *domaines de données de l'entreprise*, c'est-à-dire des vues de ces fonctions sur le modèle conceptuel global.

Modèle logique général pour un domaine

Le *modèle logique général pour un domaine* (*fig. 5.34 à 5.38*) est établi à la suite du modèle conceptuel général du domaine, lors de la phase d'architecture des systèmes de l'entreprise, on à défaut, lors de l'étude préliminaire du domaine. Cette étape de modélisation vise à identifier et décrire sommairement les flux entrants et sortants avec leurs provenances et destinations, ainsi que les fonctions et dépôts des systèmes relatifs au domaine.

Elle permet de s'assurer de la compatibilité entre le modèle conceptuel du domaine et le modèle logique général des systèmes relatifs au domaine.

Le modèle logique général pour un domaine se construit à partir du modèle logique global d'entreprise et de la documentation qui concerne particulièrement le domaine.

La marche à suivre peut être celle de l'analyse structurée, mais elle doit s'accompagner de vérifications qui visent à assurer la cohérence avec le modèle conceptuel général du domaine, et avec les modèles logiques pour d'autres domaines.

Pour cela, il convient d'identifier les objets du domaine vus par chaque fonction puis les objets communs aux différentes vues. Si nécessaire, il faut modifier le découpage en fonctions afin que le modèle résultant soit plus modulaire.

Il convient aussi d'identifier les objets communs à d'autres domaines et de décider du partage des fonctions, notamment des fonctions d'entrées de données, entre les systèmes des deux domaines.

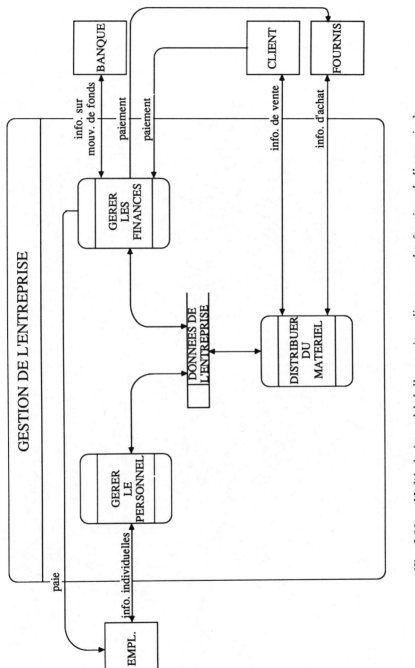

[FIG 5.32. – *Modèle logique global d'entreprise : diagramme des fonctions de l'entreprise.*]

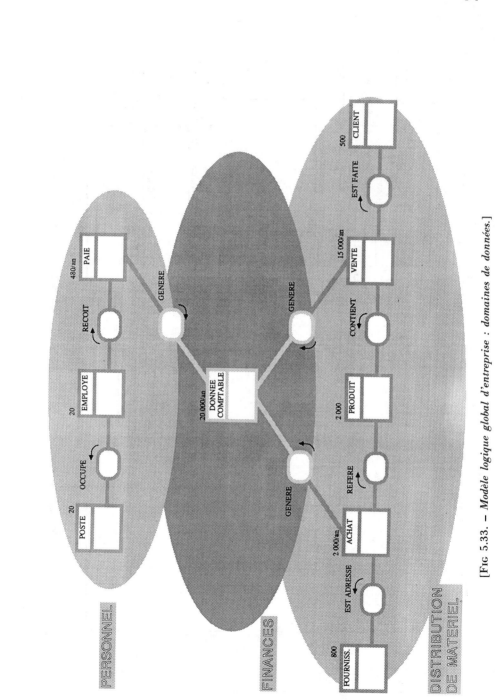

[Fig 5.33. – *Modèle logique global d'entreprise : domaines de données.*]

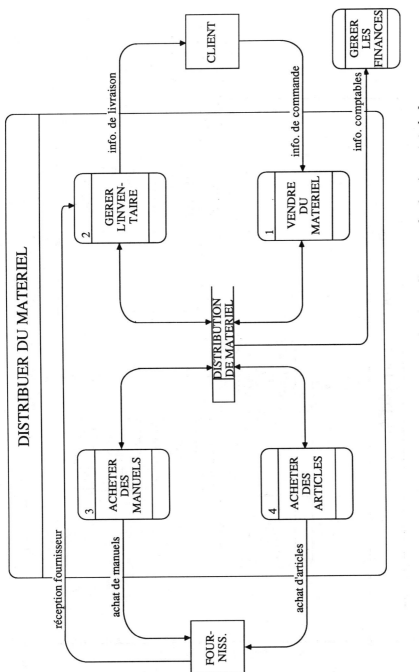

[FIG 5.34. – *Modèle logique général pour un domaine : diagramme des fonctions générales.*]

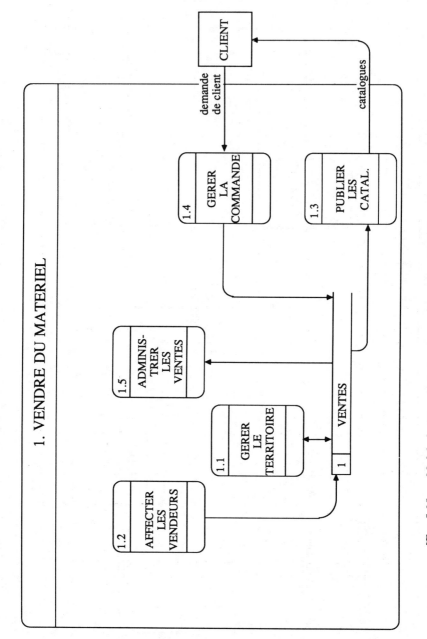

[Fɪɢ 5.35. – *Modèle logique général pour un domaine : DFI d'une fonction générale.*]

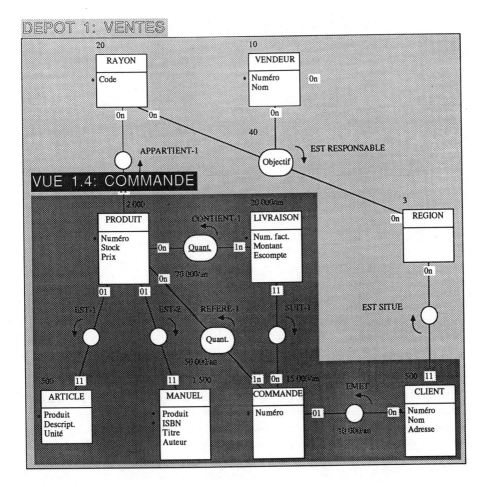

[Fig 5.36. – *Modèle logique général pour un domaine : vue logique sur un dépôt.*]

FLUX: DEMANDE DE CLIENT

BUT:
Permettre au client de commander, de modifier ses commandes
et de se renseigner sur le statut de ses commandes

DESCRIPTION:
Ce flux contient les informations qui identifient le client, la
commande et les produits commandés

[Fig 5.37. – *Modèle logique général pour un domaine : description d'un flux.*]

FONCTION 1.4: GERER LA COMMANDE

BUT: Permettre d'enregistrer une commande, de la modifier ou de l'annuler,
                        ou encore de consulter le statut de commandes de clients

DESCRIPTION: Les nouvelles commandes sont enregistrées en tenant compte de la
                        disponibilité des stocks et des produits de remplacement
                        Le statut des commandes tient compte des livraisons déjà expédiées

VUE LOGIQUE: 1.4 COMMANDE

FLUX: Demande de client

[FIG 5.38. – *Modèle logique général pour un domaine : description d'une fonction.*]

Modèle logique détaillé pour un domaine

Le *modèle logique détaillé* pour un domaine est établi lors de l'architecture du domaine, à partir du modèle logique général du domaine. Cette étape de modélisation a pour but d'identifier précisément les composants logiques des systèmes du domaine, sans entrer dans les détails de leur description.

Le modèle logique détaillé s'obtient en poursuivant jusqu'aux fonctions primaires la démarche entreprise au niveau du modèle logique général pour le domaine. Des vérifications analogues de cohérence avec le modèle conceptuel détaillé sont effectuées. En retour, le modèle conceptuel détaillé est complété à partir du modèle logique détaillé.

Les diagrammes de flux d'information sont révisés ou établis (*fig. 5.1* à *5.3*) ainsi que les dépôts (*fig. 5.4*) et vues logiques (*fig. 5.7* à *5.10*). Les fonctions et les flux sont identifiés et décrits sommairement (*fig. 5.39* et *5.40*).

FONCTION 1.4.1: PRENDRE UNE NOUVELLE COMMANDE

BUT: Permettre d'enregistrer une nouvelle commande

DESCRIPTION: Pour enregistrer une nouvelle commande, demander la création d'une
                        nouvelle commande; si le client est identifié, rechercher son adresse;
                        enregistrer ensuite chaque ligne de commande en s'assurant que le
                        produit est disponible en stock; sinon proposer au client un produit
                        de remplacement

REGLES: Les commandes sont numérotées séquentiellement
                        On ne garantit pas de délai de livraison de moins de deux jours
                        Etc.

VUE LOGIQUE   1.4 COMMANDE

FLUX: Commande

[FIG 5.39. – *Modèle logique détaillé : description d'une fonction primaire.*]

FLUX: COMMANDE

BUT: Permettre au client de spécifier les produits dont il a besoin

DESCRIPTION: Ce flux contient:
                        - l'identification du client (si elle existe)
                        - une date de livraison souhaitée
                        - un certain nombre de lignes identifiant chacune un produit et
                          la quantité commandée

[FIG 5.40. – *Modèle logique détaillé : description d'un flux.*]

Spécifications logiques détaillées

Les *spécifications logiques détaillées* complètent le modèle logique
détaillé en donnant la description détaillée de tous les composants
logiques, mais en se limitant à une tranche de réalisation à la fois.

Elles peuvent être établies sous la forme des vues de flux primaires (*fig. 5.11* à *5.13*), ainsi que des diagrammes d'accès (*fig. 5.17* à *5.19*) et de spécifications structurées des fonctions primaires (*fig. 5.20* à *5.22*).

Elles sont préparées lors de la phase de spécification de la tranche de réalisation, après que les spécifications des flux physiques soient disponibles (*fig. 1.3*).

L'élaboration des spécifications logiques conduit à vérifier et à assurer la cohérence avec le modèle conceptuel dans ses plus grands détails, ainsi que la cohérence entre les fonctions, les dépôts et les flux.

6. Un formalisme relationnel

> « *Mes routes ne seront pas exactement les mêmes*
> *que les vôtres, mais, avec nos cartes différentes, nous*
> *pourrons tous les deux aller d'un endroit particulier*
> *à un autre.* »
> D. Hofstadter, *Gödel, Escher, Bach.*

Un ouvrage traitant de structuration des données se doit de faire une place à l'approche relationnelle. Celle-ci offre en effet des fondements théoriques très complets ; de plus, elle a donné naissance à de nombreux outils logiciels : bases de données et langages « relationnels » plus ou moins conformes au modèle qu'elle propose.

Dans un ouvrage tel que celui-ci, on ne peut qu'aborder le sujet, sans l'approfondir. Heureusement, il existe une parenté entre les concepts de cette approche et ceux de l'approche entité-relation. La présente section se propose de la mettre en évidence et de montrer comment dériver des schémas relationnels à partir de diagrammes entité-relation.

Le formalisme proposé est utilisable aux plans conceptuel et logique. Mais, dans cet ouvrage, il servira surtout à faciliter l'expression du modèle physique d'un système. Le présent chapitre peut donc être considéré comme une transition entre le modèle logique d'un système et son modèle physique.

DISTRIBUTION

TABLE/ELEMENT	TABLE/ELEMENT	TABLE/ELEMENT

REGION

* * Numéro
* Nom

ZONE

* $\left\{\begin{array}{l}\circ \text{ Région}\\ \text{Numéro}\\ \text{Nom}\end{array}\right.$

SECTEUR

* $\left\{\begin{array}{l}\circ \text{ Zone}\\ \text{Numéro}\end{array}\right.$

CLIENT

* * Numéro
* Nom
* Adresse
* ○ Secteur

$\left[\dfrac{\text{Vente}}{\text{Taux}}\right]_{11}$

EMPLOYE

* * Numéro
* Nom
* ○ Poste

POSTE

* * Numéro
* Nom

RAYON

* * Code
* Nom

EST RESPONSABLE

* $\left\{\begin{array}{l}\circ \text{ Rayon}\\ \circ \text{ Région}\\ \circ \text{ Employé}\\ \text{Objectif}\end{array}\right.$

EST VENDU

* $\left\{\begin{array}{l}\circ \text{ Région}\\ \circ \text{ Rayon}\\ \underline{\text{Vente}}\end{array}\right.$

LIVRAISON

* * Numéro de facture
* Date
* Montant
* Escompte
* ○ Commande

COMMANDE

* * Numéro
* Date
* Date souhaitée
* ○ Statut

○[Client]$_{01}$

[Achat]$_{01}$

REFERE-1

* $\left\{\begin{array}{l}\circ \text{ Commande}\\ \circ \text{ Produit}\\ \text{Quantité}\end{array}\right.$

CONTIENT-1

* $\left\{\begin{array}{l}\circ \text{ Livraison}\\ \circ \text{ Produit}\\ \underline{\text{Quantité}}\\ \underline{\text{Prix}}\end{array}\right.$

PRODUIT

* * Numéro
* Coût
* Prix
* Stock

○$\left[\begin{array}{l}\text{Description}\\ \text{Unité}\end{array}\right]_{01}$

$\circ\left[\begin{array}{l}\text{ISBN}\\ \text{Titre}\\ \circ\,\text{Auteur}\end{array}\right]_{01}$

○[Remplacé par]$_{01}$

○$\left[\begin{array}{l}\text{Fournisseur}\\ \text{Référence}\end{array}\right]_{1n}$

ACHAT

* * Numéro
* ○ Date
* ○ Fournisseur

[Fɪɢ 6.1. – *Schéma*

DE MATERIEL

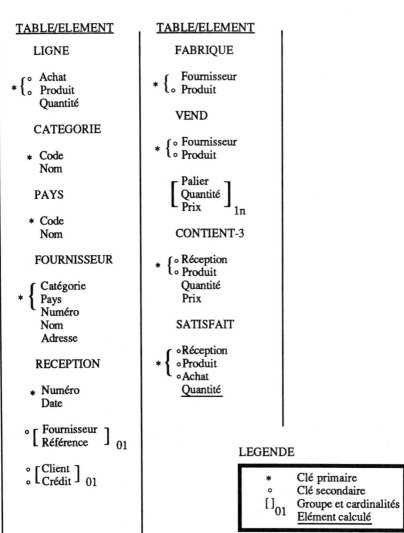

TABLE/ELEMENT

LIGNE

$*\left\{\begin{array}{l}\circ\ \text{Achat}\\\circ\ \text{Produit}\end{array}\right.$
　　Quantité

CATEGORIE

$*$　Code
　　Nom

PAYS

$*$　Code
　　Nom

FOURNISSEUR

$*\left\{\begin{array}{l}\text{Catégorie}\\\text{Pays}\\\text{Numéro}\\\text{Nom}\\\text{Adresse}\end{array}\right.$

RECEPTION

$*$　Numéro
　　Date

$\circ\left[\begin{array}{l}\text{Fournisseur}\\\text{Référence}\end{array}\right]_{01}$

$\circ\left[\begin{array}{l}\text{Client}\\\text{Crédit}\end{array}\right]_{01}$

TABLE/ELEMENT

FABRIQUE

$*\left\{\begin{array}{l}\text{Fournisseur}\\\circ\ \text{Produit}\end{array}\right.$

VEND

$*\left\{\begin{array}{l}\circ\ \text{Fournisseur}\\\circ\ \text{Produit}\end{array}\right.$

$\left[\begin{array}{l}\text{Palier}\\\text{Quantité}\\\text{Prix}\end{array}\right]_{1n}$

CONTIENT-3

$*\left\{\begin{array}{l}\circ\ \text{Réception}\\\circ\ \text{Produit}\end{array}\right.$
　　Quantité
　　Prix

SATISFAIT

$*\left\{\begin{array}{l}\circ\text{Réception}\\\circ\text{Produit}\\\circ\text{Achat}\end{array}\right.$
　　Quantité

LEGENDE

$*$	Clé primaire
$\circ$	Clé secondaire
$[\ ]_{01}$	Groupe et cardinalités
	Elément calculé

relationnel : tables.]

6.1. COMPOSANTS DES SCHÉMAS RELATIONNELS

Schémas relationnels

Un *schéma relationnel* est constitué par un ensemble de tables (*fig. 6.1*) et un ensemble de contraintes (*fig. 6.2*). Les tables représentent les données d'un système et les contraintes, les conditions qu'elles doivent respecter.

DISTRIBUTION DE MATERIEL

TABLE/ELEMENT	CONTRAINTE
ZONE	
Région	La REGION de la ZONE doit exister
LIVRAISON, CONTIENT-1	Il existe au moins une occurrence de CONTIENT-1 pour chaque occurrence de LIVRAISON
Numéro	Formé de 5 chiffres
Prix	Prix $\geq$ Coût . (1 + Profit)
Coût	
Stock	Stock après LIVRAISON = Stock avant LIVRAISON - Quantité de CONTIENT-1
PRODUIT, ARTICLE, MANUEL	Un PRODUIT est soit un ARTICLE, soit un MANUEL
ETC	

[Fɪɢ 6.2. – *Schéma relationnel : contraintes.*]

Un schéma relationnel peut être *normal* : ce terme a la même signification que pour un modèle conceptuel ou une vue.

Un schéma relationnel et ses données peuvent être manipulés à l'aide d'un petit nombre d'opérations fondamentales qui forment un *langage relationnel*.

Certaines de ces opérations produisent des vues qui sont, selon le cas, normales ou non normales.

Tables

Une *table* est constituée d'une liste d'éléments. Une table peut posséder une *structure fixe*, constituée par un nombre fixe d'éléments uniques et obligatoires (*fig. 6.3*). Dans un schéma relationnel normal, c'est le cas de toutes les tables. Une telle structure est très simple ; cependant, elle permet de représenter toutes les données d'un système et, avec un langage relationnel approprié, de définir tous les traitements requis.

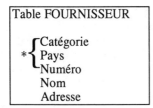

Table FOURNISSEUR

```
   ┌Catégorie
 * ┤ Pays
   └Numéro
    Nom
    Adresse
```

La table FOURNISSEUR ne contient que des éléments obligatoires uniques

[Fig 6.3. – *Table à structure fixe.*]

Une table peut aussi posséder une *structure variable* constituée d'un nombre variable de *groupes d'éléments* de structure fixe, *facultatifs* ou *obligatoires*, *uniques* ou *multiples* (*fig. 6.4* et *6.5*). Les nombres

Table PRODUIT

Groupe PRODUIT
   * Numéro
   Coût
   Prix
   Stock

Groupe ARTICLE (01)
   Description
   Unité

Groupe MANUEL (01)
   ISBN
   Titre
   Auteur

Le groupe ARTICLE est facultatif unique: ses cardinalités sont 01
Tous ses éléments sont simultanément présents ou absents

+ CONTRAINTE:

Le groupe ARTICLE est présent ou le groupe MANUEL est présent

[Fig 6.4. – *Table avec groupe facultatif unique.*]

d'occurrences permis d'un groupe dans une table s'appellent les *cardinalités du groupe*. Cette structure résulte d'une « dénormalisation » d'un schéma au moyen de groupement (ou d'autres opérations). Elle répond à des considérations de performance. Mais, du fait de sa complexité, il peut devenir impossible de la manipuler seulement avec des opérations relationnelles.

Une table possède un nombre variable d'occurrences. Chaque occurrence de table possède éventuellement un nombre spécifique d'occurrences de chaque groupe. Chaque occurrence d'un groupe possède des valeurs spécifiques pour chaque élément.

Table VEND

Groupe PRODUIT
      .FOURNISSEUR
    * { Produit
        Fournisseur

Groupe VEND (1n)
    Palier
    Quantité
    Prix

Le groupe VEND est obligatoire multiple: ses cardinalités sont 1n
Il est répété autant de fois que nécessaire
Tous les éléments d'une même occurrence du groupe sont simultanément présents ou absents

+   CONTRAINTE:

    Le prix décroît lorsque la quantité croît

[FIG 6.5. – *Table avec groupe obligatoire multiple.*]

Contraintes

Une *contrainte* est une règle que doivent respecter les occurrences de certaines tables et les valeurs de certains éléments pour assurer la cohérence du contenu du schéma (*fig. 6.2*).

Clés

Dans un schéma normal, chaque table possède une *clé primaire*, c'est-à-dire un élément ou un groupe d'éléments dont les valeurs permettent de distinguer les occurrences de la table (*fig. 6.6*). Une clé primaire spécifie un accès direct à l'occurrence unique qu'elle désigne.

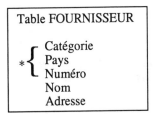

La clé primaire est formée
par le groupe:

Catégorie
Pays
Numéro

Elle spécifie l'accès direct
à une occurrence unique de
FOURNISSEUR

[Fɪɢ 6.6. – *Clé primaire.*]

D'autres clés peuvent spécifier des accès privilégiés. Une table peut être munie de *clés secondaires*, c'est-à-dire d'éléments ou de groupes d'éléments dont les valeurs spécifient un accès direct aux occurrences (éventuellement multiples) qu'elles désignent (*fig. 6.7*).

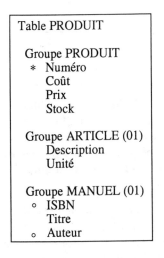

Auteur est une clé secondaire. Elle spécifie l'accès direct aux occurrences de la table PRODUIT qui correspondent à un Auteur donné

[Fɪɢ 6.7. – *Clé secondaire.*]

De plus, une clé doit souvent être reproduite dans une autre table que celle à laquelle elle appartient (*fig. 6.8*) afin de spécifier un lien entre les deux tables. Ceci est nécessaire, même dans un schéma normal.

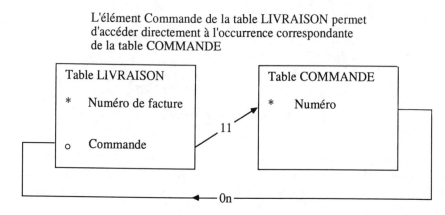

[FIG 6.8. – *Clé reliant deux tables.*]

Langage relationnel

Il a été défini plusieurs sortes de langages relationnels, capables de manipuler les tables d'un schéma relationnel et leur contenu. Le langage SQL, développé par des chercheurs d'IBM, est un exemple d'un tel langage. Le langage « pseudo-SQL » , quant à lui (*fig. 6.9*), est purement fictif : semblable à SQL, il permet, en outre, de définir et de manipuler des contraintes.

Les opérations de base d'un langage relationnel ont une caractéristique importante : elles permettent de traiter en bloc des ensembles d'occurrences de tables répondant à certaines conditions. Pour réaliser les mêmes traitements à l'aide d'un langage traditionnel, il faut utiliser une logique « procédurale » comportant des boucles. Un langage relationnel est très concis : c'est là une force, mais qu'il faut savoir utiliser de la bonne manière.

Lorsqu'un schéma relationnel est normal, la plupart des traitements requis sont en principe réalisables avec des opérations relationnelles. Lorsque ce n'est pas le cas, il faut recourir à des traitements conventionnels.

"PSEUDO-SQL"

POUR SPECIFIER UNE TABLE

Create Table: Spécifie une table et ses éléments

Alter Table: Modifie les spécifications d'une table en lui ajoutant des éléments

POUR SPECIFIER UNE CLE

Create (Unique) Index On: Spécifie une clé (primaire) pour une table

POUR SPECIFIER UNE CONTRAINTE

Create Constraint: Spécifie une contrainte sous la forme d'une condition applicable à des éléments

POUR SPECIFIER UNE VUE

Create View: Spécifie une table à partir d'une consultation de tables existantes

POUR ANNULER UNE SPECIFICATION

Drop Table, Drop Index, Drop Constraint, Drop View, Drop Program

POUR SPECIFIER UNE ADDITION

Insert: Spécifie la table concernée, les occurrences à ajouter avec leurs éléments et leurs valeurs, ainsi que leur provenance et les contraintes applicables

POUR SPECIFIER UNE CONSULTATION

Select: Spécifie les tables concernées, les règles de sélection des occurrences à consulter, les éléments à retrouver et calculer et les contraintes applicables

POUR SPECIFIER UNE DESTRUCTION

Delete: Spécifie la table concernée et les règles de sélection des occurrences à détruire

POUR SPECIFIER UNE MODIFICATION

Update: Spécifie la table concernée et les règles de sélection des occurrences à modifier avec leurs éléments et leurs valeurs, ainsi que leur provenance et les contraintes applicables

POUR SPECIFIER UN TRAITEMENT

Create Program: Spécifie un traitement sous la forme d'une liste structurée de commandes

[FIG 6.9. – *Langage relationnel.*]

6.2. RÈGLES DE DÉRIVATION

Schémas relationnels

(RI1)   Un schéma relationnel (*fig. 6.10*) s'obtient à partir d'un modèle ou d'une vue en appliquant des règles de dérivation (*fig. 6.11*). Les tables du schéma sont obtenues en traduisant (ou en regroupant) les objets du

DISTRIBUTION DE MATERIEL

Le modèle est découpé en 24 tables, correspondant chacune à un objet ou un groupement d'objets
A cause des regroupements, le schéma relationnel obtenu n'est pas normal

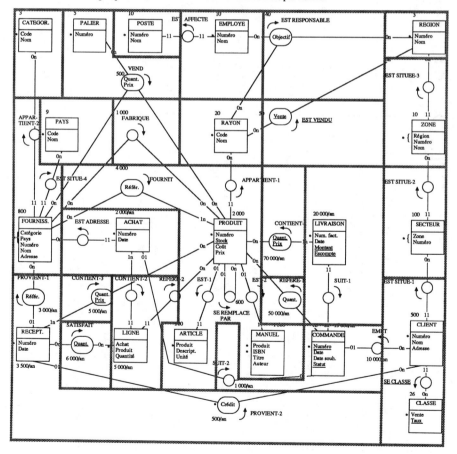

[FIG 6.10. – *Schéma relationnel : dérivation des tables à partir du diagramme entité-relation.*]

modèle. Les éléments du schéma sont les propriétés du modèle. Les clés primaires du schéma sont les identifiants du modèle. Les clés secondaires sont les critères d'accès du modèle. Les contraintes du schéma sont les règles de traitement du modèle.

I2) Le schéma relationnel obtenu à partir d'un modèle normal ou d'une vue normale, par application des règles (ST1), (ST2) et (ST3) marquées d'un astérisque, est normal.

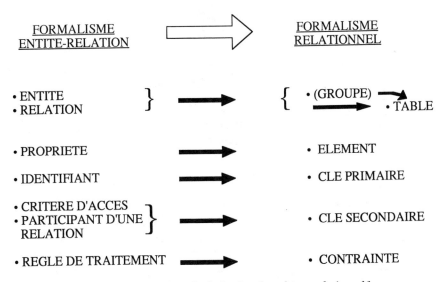

[Fɪɢ 6.11. – *Règles de dérivation du schéma relationnel.*]

Tables

ST1) Une entité qui porte au moins une propriété autre que son identifiant devient une table (*fig. 6.12*). L'identifiant devient clé primaire de la table. Les propriétés deviennent éléments de la table. Une entité sans propriété n'est pas convertie (*fig. 6.13*).

ST2) Une relation où toutes les cardinalités sont de la forme 0N ou 1N devient une table (*fig. 6.14*). Son identifiant devient clé primaire de la table. Ses participants et ses propriétés explicites, si elles existent, deviennent éléments de la table.

[FIG 6.12. – *Dérivation des tables du schéma relationnel : entité ayant d'autres propriétés que l'identifiant.*]

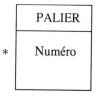

Une entité n'ayant comme propriété
que son identifiant n'est pas convertie

[FIG 6.13. – *Dérivation des tables du schéma relationnel : entité n'ayant pas d'autre propriété que l'identifiant.*]

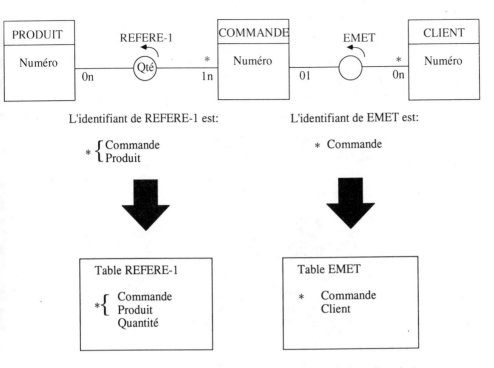

[Fig 6.14. – *Dérivation des tables du schéma relationnel : relation où toutes les cardinalités sont 0N ou 1N.*]

T3) Une relation hiérarchique et son entité-fille sont regroupées en une même table (*fig. 6.15*). L'identifiant commun devient clé primaire de la table. Les propriétés de l'entité-fille, le participant de la relation qui correspond à l'entité-mère et les propriétés explicites de la relation, s'il en existe, deviennent éléments de la table.

T4) Une relation quasi-hiérarchique et son entité-fille peuvent être groupées dans une même table (*fig. 6.16*). L'identifiant commun devient clé primaire de la table. L'entité-fille devient groupe d'éléments obligatoires de la table. La relation devient un groupe d'éléments facultatif de la table ; ce groupe inclut le participant qui représente l'entité-mère.

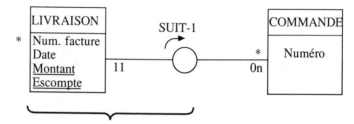

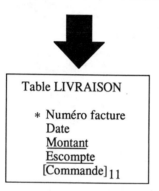

L' identifiant de LIVRAISON est:

* Numéro facture

C'est aussi l'identifiant de SUIT-1

Table LIVRAISON

* Numéro facture
Date
Montant
Escompte
[Commande]11

[FIG 6.15. – *Dérivation des tables du schéma relationnel : relation hiérarchique avec son entité-fille.*]

(ST5)   Une entité principale et ses entités faibles peuvent être groupées dans une même table (*fig. 6.17*). L'identifiant de l'entité principale devient clé primaire de la table. L'entité principale devient groupe obligatoire de la table. Chacune des entités faibles devient un groupe facultatif incluant les propriétés de l'entité faible et celles de la relation qui lui est associée.

(ST6)   Une entité et une relation à laquelle elle participe peuvent être groupées en une même table lorsque les cardinalités de la branche correspondante sont petites, ou peu variables (*fig. 6.18*). L'identifiant de l'entité devient clé primaire de la table. L'entité devient groupe obligatoire de la table. La relation devient un groupe multiple de la table dont les cardinalités sont celles de la branche concernée. Ce groupement est utile lorsque la branche concernée est fréquemment utilisée comme chemin d'accès.

7)   D'autres regroupements sont possibles en fonction des exigences de
performance. Il convient, toutefois, de les limiter car ils rendent plus
difficile la réalisation des traitements.

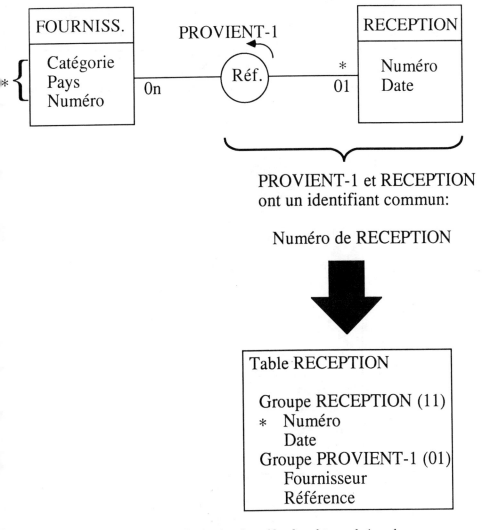

[FIG 6.16. – *Dérivation des tables du schéma relationnel :
relation quasi-hiérarchique.*]

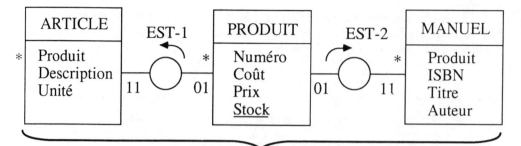

ARTICLE, PRODUIT, MANUEL, EST-1 et EST-2
peuvent être regroupés car ils ont un identifiant commun:

* Numéro de PRODUIT

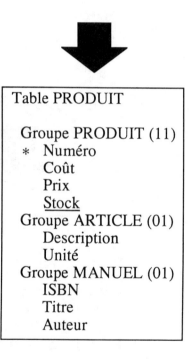

[FIG 6.17. – *Dérivation des tables du schéma relationnel : entité principale
avec ses entités faibles.*]

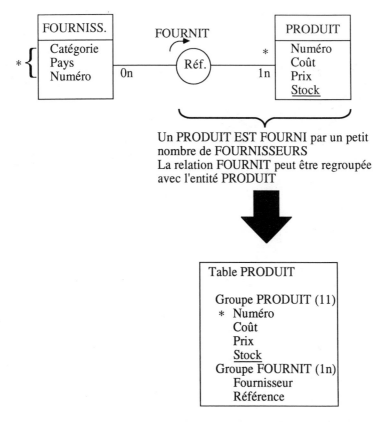

[Fig 6.18. – *Dérivation des tables du schéma relationnel : entité participante d'une relation.*]

Contraintes

C1)   Toutes les règles de traitement du modèle conceptuel deviennent des contraintes du schéma relationnel. Les règles de cardinalité deviennent des contraintes explicites (*fig. 6.19*).

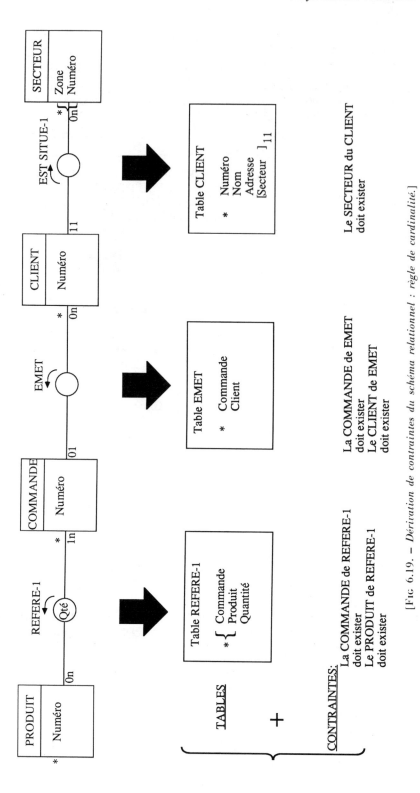

[Fɪɢ 6.19. – *Dérivation de contraintes du schéma relationnel : règle de cardinalité.*]

Clés

SI1)   L'identifiant d'un objet devient clé de la table dans laquelle cet objet se retrouve. Cette clé est primaire si l'objet constitue un groupe principal de la table (*fig. 6.6*), secondaire dans les autres cas (*fig. 6.20*).

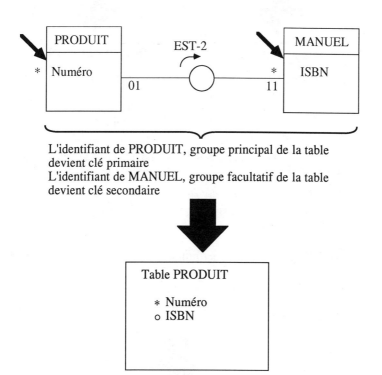

[FIG 6.20. – *Dérivation des clés du schéma relationnel : identifiant d'une entité.*]

SI2)   Une propriété ou un groupe de propriétés d'un objet qui sert de critère d'accès devient clé secondaire de la table correspondante, à moins qu'elle ne soit déjà clé primaire (*fig. 6.21*).

SI3)   Un participant d'une relation devient clé secondaire de la table correspondante, à moins qu'il n'en soit déjà la clé primaire (*fig. 6.22*).

SI4)   Un élément reliant deux tables est souvent défini comme clé dans ces deux tables (*fig. 6.8*).

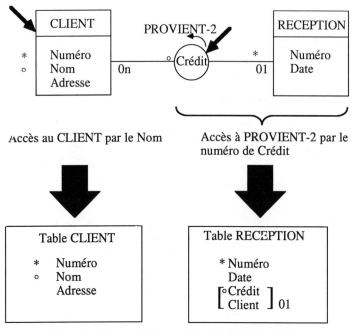

Accès au CLIENT par le Nom

Accès à PROVIENT-2 par le numéro de Crédit

Table CLIENT

* Numéro
o Nom
  Adresse

Table RECEPTION

* Numéro
  Date
[o Crédit
  Client] 01

Le Nom est une clé secondaire de CLIENT

Le numéro de Crédit est une clé secondaire de RECEPTION

[Fig 6.21. – *Dérivation des clés du schéma relationnel : propriété utilisée comme critère d'accès.*]

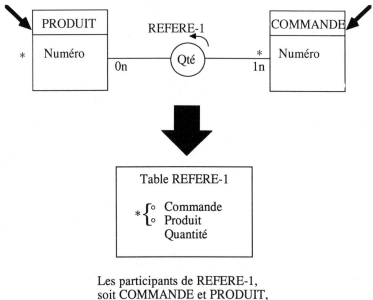

Table REFERE-1

* { o Commande
    o Produit
      Quantité

Les participants de REFERE-1, soit COMMANDE et PRODUIT, donnent chacun lieu à une clé secondaire de REFERE-1

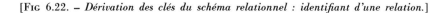

[Fig 6.22. – *Dérivation des clés du schéma relationnel : identifiant d'une relation.*]

5)   Une clé secondaire peut être supprimée lorsque la table correspondante donne lieu à des additions ou modifications fréquentes, qu'elle est rarement utilisée et que les accès qui l'utilisent n'exigent pas un temps réponse bref (*fig. 6.23*).

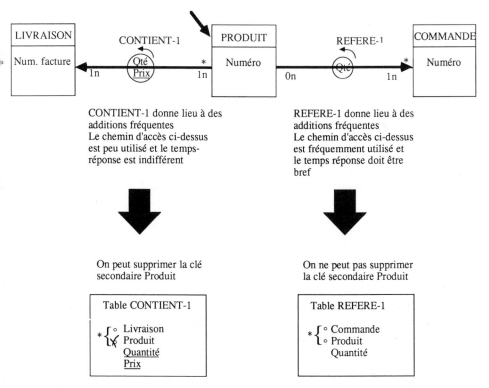

CONTIENT-1 donne lieu à des additions fréquentes
Le chemin d'accès ci-dessus est peu utilisé et le temps-réponse est indifférent

REFERE-1 donne lieu à des additions fréquentes
Le chemin d'accès ci-dessus est fréquemment utilisé et le temps réponse doit être bref

On peut supprimer la clé secondaire Produit

On ne peut pas supprimer la clé secondaire Produit

Table CONTIENT-1

* { ◦ Livraison
    ◦ Produit
    Quantité
    Prix

Table REFERE-1

* { ◦ Commande
    ◦ Produit
    Quantité

[FIG 6.23. – *Dérivation du schéma relationnel : suppression d'une clé secondaire.*]

Fonctions

(SF1)   Les fonctions ainsi que leurs diagrammes d'accès, modules d'accès et modules de traitement, s'expriment de façon équivalente dans les termes du schéma relationnel. Lorsque des objets sont regroupés en tables, les modules d'accès doivent être modifiés en conséquence.

(SF2)   Dans la mesure du possible, les fonctions sont spécifiées à l'aide des opérations relationnelles.

6.3. REPRÉSENTATION

Un schéma relationnel prend le nom du modèle ou de la vue auquel il correspond. Il peut se représenter sous la forme d'une liste de tables et d'une liste de contraintes.

Une table peut être nommée selon les objets principaux qu'elle contient. Elle peut se représenter sous la forme d'une liste des groupes et éléments qu'elle contient.

Un groupe est nommé selon l'objet principal dont il provient. Il peut se représenter sous la forme d'une liste des éléments qu'il contient, inscrite entre crochets. Ses cardinalités, dans la table, sont indiquées à côté de son nom.

Le nom d'une table ou d'un groupe calculé est souligné.

7. Modélisation physique

Le but de ce chapitre est d'indiquer schématiquement comment les notions exposées dans cet ouvrage mènent jusqu'à la réalisation du système d'information.

Le modèle physique d'un système est intimement lié aux moyens et à la technologie utilisés. Ce chapitre s'en tient donc à un niveau assez général et les exemples, fondés sur le langage relationnel du chapitre précédent, ne sont qu'esquissés.

Étant donné leur relative facilité d'apprentissage, les outils relationnels sont appelés à se diffuser, d'où l'utilité d'exemples, même sommaires. Le lecteur est encouragé à transposer l'approche aux outils de son choix.

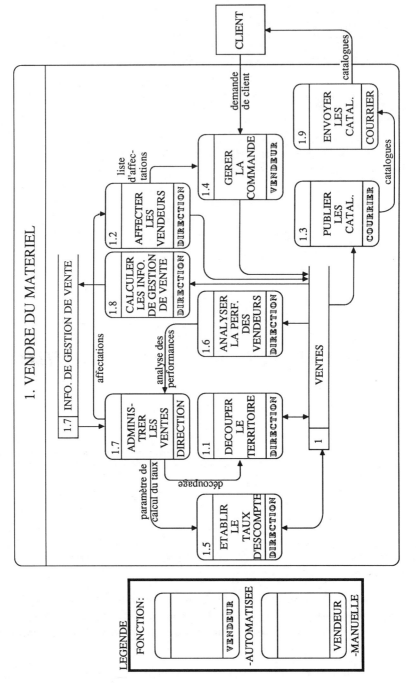

[Fig 7.1. – *DFI physique : diagramme des unités de traitement de la fonction 1 : vendre du matériel.*]

7.1. COMPOSANTS DU MODÈLE PHYSIQUE

Diagrammes physiques de flux d'information

Un *diagramme physique de flux d'information* ou DFI physique, est semblable à un DFI logique mais il indique la nature des moyens utilisés.

En choisissant convenablement le niveau de détail d'un DFI physique, il est possible de faire apparaître des unités de traitement automatisées ou manuelles (*fig. 7.1*). Une *unité de traitement* est une fonction physique utilisant un mode de traitement défini, sur un équipement donné, sous une même responsabilité d'exécution et présentant un caractère d'unité.

Les unités de traitement sont reliées à des intervenants ou systèmes externes, à d'autres unités de traitement, ainsi qu'à des dépôts physiques manuels ou automatisés. Les flux physiques qui les relient sont, suivant les cas, manuels ou automatisés.

Composants automatisés

Dépôts et vues physiques

Un *dépôt* (ou *stockage*) *physique automatisé* désigne une base de données ou un fichier. Son contenu peut être spécifié par un schéma relationnel (*fig. 7.2*). Il peut être réalisé à l'aide d'un langage relationnel (*fig. 7.3*).

Une *vue physique automatisée* désigne un extrait d'une base de données, produit à la demande par un langage relationnel. Son contenu peut être spécifié par un schéma relationnel.

DEPOT 1: VENTES

TABLE/ELEMENT	TABLE/ELEMENT	TABLE/ELEMENT

TABLE/ELEMENT

REGION

* * Numéro
* Nom

ZONE

* { ∘ Région
*   Numéro
*   Nom

SECTEUR

* { ∘ Zone
*   Numéro

CLIENT

* * Numéro
* Nom
* Adresse
* ∘ Secteur

$\left[\dfrac{\text{Vente}}{\text{Taux}}\right]_{11}$

EMPLOYE

* * Numéro
* Nom
* ∘ Poste

TABLE/ELEMENT

RAYON

* * Code
* Nom

EST RESPONSABLE

* { ∘ Rayon
*   ∘ Région
*   ∘ Employé
*   Objectif

EST VENDU

* { ∘ Région
*   ∘ Rayon
*   Vente

LIVRAISON

* * Numéro de facture
* Date
* Montant
* Escompte
* ∘ Commande

COMMANDE

* * Numéro
* Date
* Date souhaitée
* ∘ Statut

∘ [Client]$_{01}$

TABLE/ELEMENT

REFERE-1

* { ∘ Commande
*   ∘ Produit
*   Quantité

CONTIENT-1

* { ∘ Livraison
*   ∘ Produit
*   Quantité
*   Prix

PRODUIT

* * Numéro
* Coût
* Prix
* Stock

∘ $\left[\begin{array}{l}\text{Description}\\\text{Unité}\end{array}\right]_{01}$

∘ $\left[\begin{array}{l}\text{ISBN}\\\text{Titre}\\\text{Auteur}\end{array}\right]_{01}$

∘ [Remplacé par]$_{01}$

LEGENDE

*	Clé primaire
∘	Clé secondaire
[ ]$_{01}$	Groupe et cardinalités
	Elément calculé

[FIG 7.2. – *Spécification d'un dépôt physique.*]

DEPOT 1: VENTES

Create Table CLIENT

NUMERO	Char(3)
NOM	Char(15)
ADRESSE	Char(30)
SECTEUR	Char(4)
VENTES	Decimal(6.0)
TAUX	Decimal(0.2)

"Un client est une entreprise ou une personne identifiée qui émet des commandes. Il y a environ 500 clients."

Create Table COMMANDE

NUMERO	Char(4)
DATE	Date
DATE-SOUH.	Date
STATUT	Char(1)
CLIENT	Char(3)
ACHAT	Char(4)

"Une commande est un ordre de livraison de produits émis par des clients identifiés ou non. Il y a environ 15 000 commandes par an."

Create Table STATUT

CODE	Char(1)
DESCRIPTION	Char(8)

"Le statut de la commande indique s'il y a eu ou non des livraisons et s'il reste ou non des quantités à livrer. Il y a 3 statuts possibles."

Etc.

Create Unique Index CLIENT-PAR-NUMERO
On CLIENT (NUMERO)

Create Unique Index COMMANDE-PAR-NUMERO
On COMMANDE (NUMERO)

Create Index COMMANDE-PAR-CLIENT
On COMMANDE (CLIENT)

[FIG 7.3. – *Principe de réalisation du modèle physique : dépôt.*]

Flux

Un *flux physique automatisé* désigne une interface informatique, un écran de consultation ou de saisie, un document produit ou saisi de façon automatisée.

Son apparence physique peut être spécifiée par une maquette (*fig. 7.4*). Son contenu peut être décrit par un schéma relationnel. Il peut être réalisé, le cas échéant, à l'aide des extensions d'un langage relationnel : générateurs de fichiers, d'écrans, de rapports, ou de graphiques.

ECRAN: SAISIE DE COMMANDE

```
COMMANDE                                              Numéro:_____

Date:_____    Date souhaitée:_____    Statut:_____
- - - - - - - - - - - - - - - - - - - - - - - - - - - - - - - - - -
CLIENT                                                Numéro:_____

Nom:_____    Adresse:_____
                                 _____

PRODUIT                                    :QUANTITE REFEREE
Num.:_____  Descr.:_____  Prix:_____ :Qté:_____  Mont.:_____
Num.:_____  Descr.:_____  Prix:_____ :Qté:_____  Mont.:_____
Num.:_____  Descr.:_____  Prix:_____ :Qté:_____  Mont.:_____
Num.:_____  Descr.:_____  Prix:_____ :Qté:_____  Mont.:_____
Num.:_____  Descr.:_____  Prix:_____ :Qté:_____  Mont.:_____
- - - - - - - - - - - - - - - - - - - - - - - - - - - - - - - - - -
TOTAL COMMANDE                                 Total:_____
                                               Taxe:_____
                                           A payer:_____
```

[FIG 7.4. – *Spécification d'un flux physique : écran.*]

Fonctions

Les *fonctions automatisées* peuvent mettre en œuvre des contraintes, réalisées à l'aide d'un langage relationnel (*fig. 7.5*).

Une *unité de traitement automatisée* regroupe souvent plusieurs fonctions primaires automatisées (*fig. 7.1*).

Une *fonction physique primaire automatisée* (ou *programme*) correspond à une fonction logique primaire. Elle peut être réalisée à l'aide d'un
langage relationnel (*fig. 7.6 à 7.8*).

VENDRE DU MATERIEL

Create Constraint   DELAI-DE-LIVRAISON

COMMANDE . DATE-SOUH. ≥ COMMANDE . DATE + 2

"Il faut prévoir au moins deux jours entre la date
souhaitée de livraison et la date de la commande."

Create Constraint   PROFIT

PRODUIT . PRIX ≥ PRODUIT . COUT * (1 + PROFIT)

"Le prix de vente d'un produit doit être fixé de
manière à assurer un pourcentage de profit
établi à l'avance."

Etc

[FIG 7.5. – *Principe de réalisation du modèle physique : contraintes.*]

FONCTION 1.3.1:
PUBLIER LE CATALOGUE DES ARTICLES

Create   Program   1.3.1-PUBLIER-LE-CATALOGUE-DES-ARTICLES

Select   RAYON . CODE, RAYON . NOM,
PRODUIT . NUMERO, PRODUIT . DESCRIPTION,
PRODUIT . PRIX, PRODUIT . UNITE

From   RAYON, PRODUIT

Where   RAYON . CODE = PRODUIT . RAYON
And PRODUIT . DESCRIPTION Not Null

Order By   RAYON . NOM, PRODUIT . DESCRIPTION

"Cette fonction produit le catalogue des articles par rayon
en ordre alphabétique de rayon et de produit, avec le prix
de vente et l'unité de vente de chaque produit."

[FIG 7.6. – *Principe de réalisation du modèle physique :*
fonction primaire de consultation.]

FONCTION 1.4.1: PRENDRE UNE NOUVELLE COMMANDE

Create	Program	1.4.1-PRENDRE-UNE-NOUVELLE-COMMANDE
	Insert	NUMERO, DATE, DATE-SOUHAIT., STATUT, CLIENT
	Values	NUMERO-PRECEDENT + 1, DATE-DU-JOUR, Input, 1, Input
	Into	COMMANDE
	Subject To	DELAI-DE-LIVRAISON
	If	CLIENT Not Null
	Select	CLIENT . NOM, CLIENT . ADRESSE
	From	CLIENT
	Where	COMMANDE . CLIENT = CLIENT . NUMERO
	Endif	
	Do	
	Insert	COMMANDE, PRODUIT, QUANTITE
	Values	COMMANDE . NUMERO, Input, Input
	Into	REFERE-1
	Select	PRODUIT . DESCRIPTION, PRODUIT . PRIX
	From	PRODUIT
	Where	REFERE-1 . PRODUIT = PRODUIT . NUMERO
	Etc	
	Until	(Dernier produit)

"Cette fonction permet de saisir une nouvelle commande. Le numéro de client et la date souhaitée sont entrés à l'écran. Les autres éléments de l'en-tête sont calculés automatiquement. Le délai de livraison est vérifié. Les données du client sont affichées. Pour chaque ligne de la commande, le numéro de produit et la quantité sont entrés à l'écran. Les données du produit sont affichées. Etc"

[Fɪɢ 7.7. – *Principe de réalisation du modèle physique : fonction primaire de mise à jour.*]

FONCTION 1.5:
ETABLIR LE TAUX D'ESCOMPTE

Create Program 1.5-ETABLIR-LE-TAUX-D'-ESCOMPTE

    Update CLIENT

    Set VENTE =

        Select Sum (LIVRAISON . PRIX)

        From CLIENT, COMMANDE, LIVRAISON

        Where CLIENT . NUMERO = COMMANDE . CLIENT

        And COMMANDE . NUMERO
                = LIVRAISON . COMMANDE

        And LIVRAISON . DATE ≥ DEBUT-D'-ANNEE

        And LIVRAISON . DATE ≤ FIN-D'-ANNEE

    Set TAUX =
        Min (Max (0, COEFF. * (VENTE - MINIMUM)), 0,25)

"Cette fonction totalise le prix des livraisons de l'année à chaque client, applique à ce total la règle de calcul du taux d'escompte et enregistre ce taux dans la table client."

[FIG 7.8. – *Principe de réalisation du modèle physique : fonction primaire de calcul.*]

Composants manuels

Les composants manuels d'un système d'information sont les *dossiers* (dépôts physiques) *manuels*, les *documents* (flux physiques) *manuels* et les *unités de traitement* (fonctions physiques) *manuelles*.

7.2. OBSERVATIONS SUR LA MODÉLISATION PHYSIQUE

Diagrammes physiques de flux d'information

(DP1)   Pour chaque fonction primaire, le mode de traitement est choisi selon les besoins de la fonction : manuel, automatisé sous forme interactive ou en lots, etc. Si nécessaire, la fonction est subdivisée.

(DP2)   Il peut être utile de regrouper en unités de traitement les fonctions primaires exécutées dans les mêmes circonstances, par exemple : même mode de traitement, même responsabilité d'exécution, même cycle de traitement ou condition de déclenchement, mêmes objets ou documents traités.

Composants automatisés

(CA1)   Les composants physiques automatisés sont une traduction et une adaptation au langage utilisé des composants logiques correspondants. Leurs attributs physiques, tels que longueur, emplacement, dimensions, caractéristiques d'affichage sont spécifiés. Si nécessaire, les composants logiques et physiques sont modifiés pour améliorer la performance d'exécution.

Composants manuels

(CM1)   Les composants physiques manuels sont spécifiés de la manière qui convient aux personnes chargées de les utiliser.

7.3. REPRÉSENTATION

Les DFI physiques peuvent être représentés en utilisant les conventions de Gane et Sarson.

Les dépôts et vues physiques automatisés peuvent être représentés par des schémas relationnels et réalisés à l'aide du langage utilisé.

Les flux physiques automatisés peuvent être spécifiés, si nécessaire par des maquettes et réalisés, le cas échéant, à l'aide du langage utilisé.

Les fonctions physiques automatisées sont réalisées à l'aide du langage utilisé.

Les composants physiques manuels peuvent être représentés par des descriptions de procédures de travail, des maquettes de documents, etc.

7.4. DÉMARCHE

Généralités

La démarche de modélisation physique (*fig. 1.3*) vise à élaborer par mises au point successives la solution utilisée pour faire fonctionner le système d'information décrit par son modèle logique. Une telle solution se définit par des moyens organisationnels (structure de responsabilités, sites, services, postes de travail), par des moyens de traitement (ordinateurs, télécommunications, logiciels d'exploitation) et par les mécanismes de mise en œuvre de ces moyens (décrits par les DFI physiques).

Chaque niveau de modélisation de l'entreprise se termine par une étape de modélisation physique : ainsi, au *modèle physique global d'entreprise* succèdent les *modèles physiques généraux par domaines*, puis leurs *modèles physiques détaillés* et enfin, la *spécification des flux physiques* et la *réalisation des composants physiques* de chaque tranche de réalisation.

Cette démarche est, en outre, l'occasion de valider et de compléter le modèle logique à des niveaux de détail de plus en plus grands.

Modèle physique global d'entreprise

Le *modèle physique global d'entreprise* (*fig. 7.9*) est établi dès la phase de plan directeur, à partir du modèle logique global d'entreprise.

242

Modélisation physique

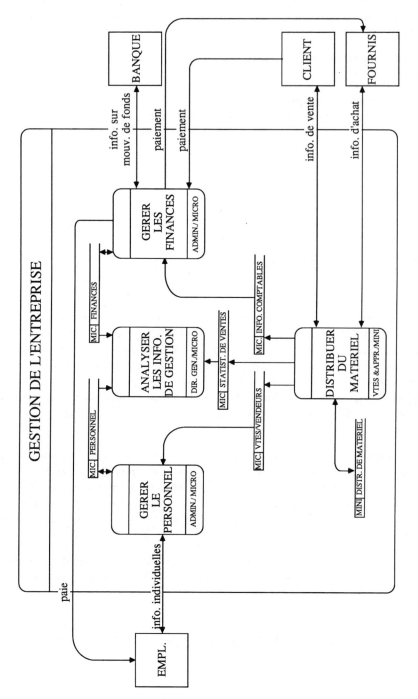

[Fig 7.9. – Modèle physique global d'entreprise.]

Il indique les orientations en matière d'équipement et logiciel, de répartition des traitements et des données sur les équipements ainsi que de responsabilités sur les traitements.

Le modèle physique global est établi en tenant compte de nombreux critères : organisation de l'entreprise, volumes des données et traitements, modes de traitement, capacité des matériels et logiciels existants ou disponibles, coûts et avantages.

Modèle physique général pour un domaine

Le *modèle physique général* pour un domaine (*fig. 7.10*) est établi à partir du modèle logique général, à la fin de la phase d'architecture des systèmes de l'entreprise (ou au cours de la phase d'étude préliminaire).

Il précise le modèle physique global d'entreprise, dans le domaine concerné. Il tient compte des mêmes facteurs d'organisation, de volumes, de moyens de traitement et de coûts.

Modèle physique détaillé pour un domaine

Le *modèle physique détaillé* pour un domaine est établi à partir du modèle logique détaillé, à la fin de la phase d'architecture globale des systèmes du domaine.

Il précise le modèle physique général des systèmes relatifs au domaine jusqu'au niveau des unités de traitement (*fig. 7.1*) et des dépôts (*fig. 7.2*). Il constitue ainsi le point de départ du découpage du développement en tranches de réalisation. Pour assurer la continuité de l'utilisation des systèmes, des fonctions de transfert de données entre les anciens et les nouveaux dépôts lui sont ajoutées.

Spécification des flux physiques

La *spécification des flux physiques*, notamment celle des écrans et documents qui serviront aux utilisateurs des systèmes (*fig. 7.4*) est la première étape de la phase de spécification d'une tranche de réalisation.

Son résultat est utilisé pour établir des spécifications logiques détaillées, et validé par celles-ci.

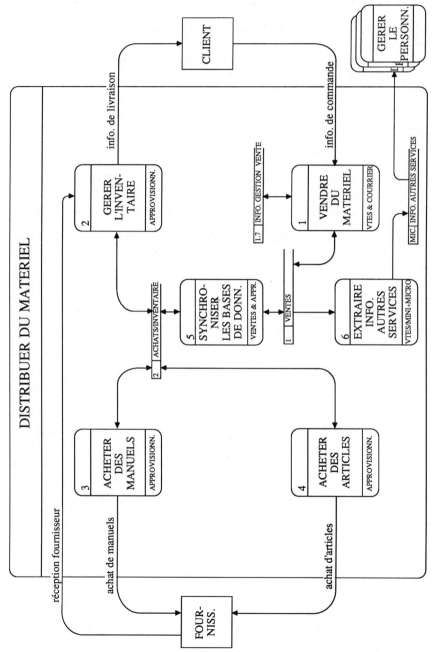

[Fig. 7.10. – *Modèle physique général pour un domaine.*]

Réalisation des composants physiques

Dans un processus de développement utilisant un langage traditionnel, il est habituel que la réalisation des composants physiques d'une
tranche de réalisation soit entreprise seulement lorsque leurs spécifications
logiques détaillées sont terminées.

Dans un processus de développement reposant sur un langage plus
évolué tel qu'un langage relationnel, il est possible de réaliser directement
certains composants du modèle physique détaillé sous forme de prototypes
(*fig. 7.3* et *7.5* à *7.8*), qui sont améliorés par versions successives. Un
prototype permet d'élaborer et de vérifier la conception logique et
physique du composant ; une version suffisamment élaborée peut tenir lieu
de spécification, voire même être mise en production.

Les techniques de spécification et de prototypage peuvent être
utilisées conjointement et le choix de l'approche dépend, en dernier lieu,
des outils disponibles et des particularités du système à développer.

8. Conclusion

« Un problème du monde réel, par contre,
n'est jamais isolé à cent pour cent
de toute autre partie du monde. »
D. HOFSTADTER, *Gödel, Escher, Bach.*

Dans la première partie de cet ouvrage, nous avons examiné et manipulé le modèle conceptuel afin de bien le comprendre et de savoir le construire. Dans la deuxième partie, ce modèle nous a fourni un support pour décrire les composants d'un système d'information et pour explorer le processus de développement du système. Cette démarche analytique, conforme au but de l'ouvrage, nous a conduits à faire de multiples distinctions.

Dans la pratique, nous devons garder à l'esprit l'unité d'un système d'information et sa nécessaire intégration à la réalité qu'il décrit (*fig. 1.1*), et ceci nous incite à adopter une approche plus globale et plus intégrée. Plusieurs éléments nous y invitent.

Tout d'abord, même si nous mesurons bien ce qui sépare le système d'information du modèle conceptuel qui lui correspond, nous reconnaissons aussi ce qui les réunit, et ceci nous autorise à emprunter des raccourcis.

Ensuite, les nouveaux outils automatisés de conception et de réalisation favorisent une approche globale, à la fois sur plusieurs plans et à plusieurs niveaux, dans le prolongement du prototypage. Déjà certains d'entre eux intègrent dans un même ensemble des descriptions conceptuelles, logiques et physiques, et permettent un choix des formalismes de présentation. Les modèles deviennent des « vues » que nous pouvons consulter à loisir pour étudier tel aspect du système qui nous intéresse. Le système lui-même n'est plus que le degré de spécification ultime du modèle.

De plus, l'insertion d'un système dans une organisation présente plusieurs dimensions, notamment humaines, qui échappent totalement à l'analyse présentée ici, et dont il faut tenir compte.

Le dernier élément, et non le moindre, est une saine méfiance à l'égard de la seule théorie et la conviction que l'art du praticien consistera, demain comme aujourd'hui, à savoir l'allier à l'expérience pour obtenir des résultats concrets et utilisables dans la réalité.

Bibliographie

ANALYSE STRUCTURÉE

DE MARCO (T.), *Structured Analysis and System Specification*, 2ᵉ édition, Yourdon Press, New-York, N.Y., 1978.

GANE (C.), SARSON (T.), *Analyse structurée des systèmes : outils et techniques*, McDonnell Douglas, Saint-Louis, Missouri, 1980.

MARTIN (J)., McCLURE (C.), *Structured Techniques for Computing*, Prentice Hall, Englewood Cliffs, N.J., 1985.

MERISE

COLLONGUES (A.), HUGUES (J.), LAROCHE (B.), *MERISE, méthode de conception*, Dunod, Paris, 1986.

TABOURIER (Y.), *De l'autre côté de MERISE*, Les éditions d'organisation, Paris, 1986.

TARDIEU (H.), NANCI (D.), PASCOT (D.), *Conception d'un système d'information : construction de la base de données*, Les éditions d'organisation, Paris, 1979.

TARDIEU (H.), ROCHFELD (A.), COLLETTI (R.), *La méthode MERISE*, tome 1 : Principes et outils, 2ᵉ édition, Les éditions d'organisation, Paris, 1984.

TARDIEU (H.), ROCHFELD (A.), COLLETTI (R.), PANET (G.), VAHÉE (G.), *La méthode MERISE*, tome 2 : Démarche et pratiques, Les éditions d'organisation, Paris, 1985.

MODÈLE ENTITÉ-RELATION

CHEN (P.P.), *Entity Relationship Approach to System Analysis and Design*, North Holland, Amsterdam, 1980.

FLAVIN (M.), *Fundamental Concepts of Information Modeling*, Yourdon Press, New-York, N.Y., 1981.

MODÈLE RELATIONNEL

DATE (C.J.), *An Introduction to Database Systems*, volume I, 4e édition, Addison-Wesley, Reading, Massachusetts, 1985.

DATE (C.J.), *An Introduction to Database Systems*, volume II, 2e édition, Addison-Wesley, Reading, Massachusetts, 1984.

DELOBEL (C.), ADIBA (M.), *Bases de données et systèmes relationnels*, Bordas, Paris, 1982.

RÉFLEXION

HOFSTADTER (D.), *Gödel, Escher, Bach : les brins d'une guirlande éternelle*, Interéditions, Paris, 1985.

KENT (W.), *Data and Reality*, North Holland, Amsterdam, 1978.

SYSTÈMES D'INFORMATION

BODART (F.), PIGNEUR (Y.), *Conception assistée des applications informatiques*, tome 1 : Étude d'opportunité et analyse conceptuelle, Masson, Paris, 1983.

Conseillers en gestion et informatique CGI Inc., éd., *Guide de développement de systèmes d'information*, Montréal, 1986.

DAVIS (G.), OLSON (M.), AJENSTAT (J.), PEAUCELLE (J.-L.), *Les systèmes d'information pour le management*, 2 tomes, Vermette/Économica, Montréal, 1986.

HAINAUT (J.-L.), *Conception assistée des applications informatiques*, tome 2 : Conception de la base de données, Masson, Paris, 1985.

PEAUCELLE (J.-L.), *Les systèmes d'information : la représentation*, P.U.F., Paris, 1981.

Index

A

accès
 – à des données : 7
 – à un objet : **181**, 190, 196, 197
 – à une table : 41, 229
 – direct : 214, 215
activité
 – de dépôt : **190**
 – de fonction primaire : **190**
 – de modèle logique : **190**, 192, 193
 – de vue logique : **190**
addition : 184, 197, 229
analyse : **23**, 32, 35, 148, 150, 154, 156, 199
 – structurée : 7, 15, 19, 20, 32, 165, 200, 249
anomalie : 31
ANSI-SPARC : 15
approche
 – entité-relation : 209, 249
 – intégrée : 16, 247
 – relationnelle : 16, 19, 40, 47, 99, 209, 250
architecture des systèmes
 – d'un domaine : 17, **23**, 157, 206
 – d'une entreprise : 17, **23**, 150, 200, 243
attribut physique : 240
augmentation : **124**, 143

B

base de données : 32, 149, 233, 249, 250
 – relationnelle : 45, 209, 250
besoin
 – d'accès : 157
 – d'information : 124, 148, 160, 199
 – de traitement : 157
Boyce R.F. : 87
branche : 48, **59**, 75, 195, 197, 222

C

cardinalité : **67**, 68, 75, 97, 118, 121, 129, 135, 148, 149, 154, 156, 197, 219, 222
 – d'accès : **184**, 194, 195
 – de groupe d'éléments : **214**
 – inférieure : **67**
 – maximale : **67**
 – moyenne : **67**, 71
 – supérieure : **67**
chemin d'accès : **181**, 194, 196, 222
Chen P.P. : 15, 249
choix
 – d'objets d'un modèle : 28, 48
 – d'occurrences à traiter : 184

 – d'organisation de données et traitements : 20
 – de clés : 41
 – de modélisation : 99
 – de perception : 5
 – de propriétés : 48
 – de représentation : 147
 – physique de réalisation : 40
circulation d'information : 20, 32, 199
clé
 – primaire : 41, **214**, 219, 221, 222, 227
 – répétée : 41, 215
 – secondaire : 41, **215**, 219, 227, 229
Code E.F. : 81
coefficient de calcul : 179
cohérence : 23, 36, 76, 77, 78, 148, 149, 156, 157, 162, 165, 200, 206, 208, 214
combinaison
 – d'entités : 90, 104
 – d'intégrations : 146
 – d'objets : 79
 – de cardinalités : 69
 – de dérivations : 124
 – de valeurs : 58, 59, 77
composant
 – automatisé : 20, 43, **233**
 – de modèle : **23**
 – de système : 16, **20**, 25, 247
 – logique : 157, **206**, 207, 240
 – manuel : 20, **239**
 – physique : 245
 – physique automatisé : 240
 – physique manuel : 240
 – primaire : 32
composition : **118**, 124, 138, 146
 – de domaines : 61
 – de propriétés : 78, 157
conception : 5, 7, **23**, 32, 148, 150, 199, 247, 249, 250
condition
 – d'exécution : 179, 196
 – d'existence : 28, **48**, 67, 76
 – de déclenchement : 240
 – logique : 78, 80
construction d'identifiant : **81**, 88, 89, 90, 94
consultation : 184, 197
contrainte : 212, **214**, 216, 219, 225, 236
 – d'intégrité : 40, 41
 – d'intégrité fonctionnelle : 47
 – explicite : 225
critère
 – d'accès : 181, **184**, 197, 219, 227
 – de sélection : 115, **179**
cycle de traitement : 240

MASSON, Éditeur
120, bd Saint-Germain
75280 Paris Cedex 06
Dépôt légal : mars 1988

MAURY-IMPRIMEUR S.A.
45330 MALESHERBES
N° A87/20267 M
Dépôt légal : février 1988